Y0-BEB-306

La huerta en un jardín pequeño

La huerta en un jardín pequeño

Jo Whittingham

Editorial El Ateneo

UN LIBRO DE DORLING KINDERSLEY
www.dk.com

EDITORA SENIOR Zia Allaway
DISEÑADORES SENIOR Rachael Smith,
Vanessa Hamilton
DIRECTOR EDITORIAL Anna Kruger
DIRECTOR DE ARTE Alison Donovan
DISEÑADOR DTP Louise Waller
INVESTIGACIÓN FOTOGRÁFICA Lucy Claxton,
Richard Dabb, Mel Watson
CONTROL DE PRODUCCIÓN Rebecca Short

PRODUCIDO PARA DORLING KINDERSLEY
Airedale Publishing Limited
DIRECTOR CREATIVO Ruth Prentice
GERENTE DE PRODUCCIÓN Amanda Jensen

FOTOGRAFÍA Mark Winwood

Whittingham, Jo
La huerta en un jardín pequeño / Jo Whittingham; adaptado por Marcela García Henríquez de Sury. - 1.ª ed. - Buenos Aires: El Ateneo, 2009.
160 p. ; 24x19 cm.

Traducido por: Marcela García Henríquez de Sury
ISBN 978-950-02-0286-2

1. Jardinería. I. García Henríquez de Sury, Marcela, adapt. II. García Henríquez de Sury, Marcela, trad. III. Título
CDD 635.9

Título original: *RHS Simple Steps: Vegetables in a Small Garden*
Traductora y adaptadora: Marcela García Henríquez de Sury

Patagones 2463 - (C1282ACA) Buenos Aires - Argentina
Tel.: (54 11) 4943 8200 - Fax: (54 11) 4308 4199
Correo electrónico: editorial@elateneo.com

1.ª edición: 1° de julio de 2009

ISBN 13: 978-950-02-0286-2

Queda hecho el depósito que marca la ley 11.723

Impreso en Singapur

Contenido

Cultivar una huerta

Para cultivar deliciosas verduras y hortalizas frescas es suficiente con un jardín, un patio o un balcón. Los cultivos crecen rápidamente a la vez que sirven para armar arreglos decorativos en macetas. Lucen maravillosamente bien cuando se combinan con flores. Un pequeño terreno puede convertirse en una huerta con variedades ornamentales y comestibles, ideal para el jardín pequeño. Aproveche las ideas de este capítulo como fuente de inspiración para cultivar. Disfrutará de su huerta aún antes de que los productos cosechados lleguen a la mesa familiar.

Cómo combinar verduras, hortalizas y flores

Los jardines pequeños deben lucir lo mejor posible durante todo el año. Por lo general, no tienen espacio para una huerta. Sin embargo, con un poco de imaginación las formas y los colores de las verduras y las hortalizas se pueden combinar con flores. El resultado será un jardín bello y delicioso.

Fotografías, en el sentido de las agujas del reloj, desde la parte superior izquierda

Cultivos circulares Plantar cultivos para formar diseños decorativos es una magnífica forma de agregar elementos de interés sin ocupar mucho espacio. En la fotografía, un árbol se ha rodeado de un macizo de hierbas, una franja circular de hojas para ensalada, zanahorias, cebollas y hierbas aromáticas. El sendero permite un fácil acceso. Aproveche la mayoría de las coloridas variedades de lechugas para iluminar el jardín y la ensaladera.
Bordes con zapallos Los zapallos son vigorosas plantas rastreras que parecen muy grandes para un jardín pequeño. Sin embargo, si las guía en la parte frontal de un borde bien definido, o incluso sobre arbustos, sus flores amarillo vivo, su follaje intenso y sus frutos coloridos lucirán maravillosamente, cayendo en cascadas hacia el sendero. Agregue bastante materia orgánica al suelo para que estos ejemplares tengan los nutrientes necesarios para crecer bien.
Arreglo ornamental Una sencilla siembra de anuales estivales crea un efecto vibrante que rodea un macizo, cuidadosamente diseñado, de verduras y hortalizas de hoja morada y azul verdoso. Además de verse preciosas, las flores, similares a las margaritas, atraen a muchos insectos beneficiosos que polinizan los cultivos y evitan las plagas. En otoño e invierno, los repollos, los puerros y los repollos crespos decorarán este hermoso arreglo.
Cosecha extraordinaria Las trepadoras comestibles son ideales cuando hay poco espacio, ya que producen una cosecha abundante en un pequeño terreno. En este borde, las chauchas trepadoras crecen, mezclándose con las chauchas enanas y el follaje aterciopelado de las zanahorias. Los nasturtiums, los copetes amarillos y las petunias agregan un cálido color. El follaje plateado perenne de los alcauciles forma una estructura permanente en el borde. Sus flores sirven para preparar platos deliciosos.

La huerta en macetas

Usted puede cultivar una amplia variedad de verduras y hortalizas, como también hierbas aromáticas en macetas. Basta con un patio, un balcón o un alféizar soleado para cosechar productos frescos listos para cocinar.

Fotografías, en el sentido de las agujas del reloj

Hileras de macetas de barro Las amplias macetas de barro no solo son elegantes sino que son fáciles de cuidar y lucen perfectas al costado de una escalera o en un patio. Este rincón con sombra parcial es ideal para cultivar salvia, menta, tomillo y perejil. Prácticamente todas las hierbas crecen en macetas si se las riega bien. Para que las plantas se mantengan compactas y frondosas, pode las puntas con tijeras de podar.

Reciclar un colador de cocina Los canastos colgantes son ideales para lograr espacio extra para cultivar. En este caso, se ha recurrido a un colador de cocina con orificios para drenar el agua. Una alternativa original. Los tomates Tumbling con racimos de frutos coloridos, caerán en cascada hacia abajo, al igual que los nasturtiums, cuyas flores anaranjadas crecen rápidamente. Para llenar los espacios vacíos, plante hierbas como el perejil y el tomillo. Cuelgue el canasto lejos de los vientos fuertes y riéguelo con frecuencia.

Cultivos que ahorran espacio En un jardín pequeño es fundamental aprovechar todo el espacio disponible. Elija macetas grandes y cultivos que maduren rápidamente, como la lechuga, con otros que crecen más despacio. Acá se aprecian unas lechugas de hoja morada alrededor de un zapallito. Las lechugas están listas para cosechar mientras que el zapallito tarda mucho más. Al costado, una morrón comparte la maceta con una delicada variedad de albahaca.

Grupos de macetas Recurra a su imaginación usando macetas de todos los tamaños y las formas. Dispóngalas en grupos para lograr colorido y calidez. Este patio con baldosas adquiere un toque moderno a través de las macetas de metal. Observe el follaje intenso de las hojas exóticas y el intenso color de la acelga. Todo tipo de macetas funciona bien, incluso los recipientes de metal galvanizado o las coloridas macetas de plástico, siempre y cuando tengan orificios de drenaje en la base.

Horizontales y verticales

Tomarse el tiempo necesario para pensar sobre qué conviene plantar en la huerta produce un buen resultado en la época de la cosecha. La ubicación inteligente de plantas dispuestas en hileras largas, acompañadas de variedades altas, permite crear un microclima apto para diversas verduras y hortalizas. El efecto visual es mucho mejor.

Fotografías, en el sentido de las agujas del reloj, desde la derecha

Hileras alternadas Los jardineros que aprecian las filas largas y uniformes de las huertas tradicionales pueden reproducirlas en un terreno pequeño. Si las filas se cultivan a lo largo del terreno, lejos de la casa, llaman la atención y hacen que el jardín parezca más grande. En este jardín se han preparado hileras de lechuga, acelga, cebolla y zapallitos. Entre ellos, se plantaron macizos densos con caléndulas (*Tagetes*) que combinan perfectamente a la vez que hacen que el conjunto luzca más amplio. La caléndula se cultiva en las huertas porque su intenso aroma suele confundir a los insectos dañinos que se alimentan con algunos cultivos.

Cultivos trepadores Estas chauchas, al igual que otras hortalizas trepadoras, atadas a una estructura de caña o a un enrejado, crecen rápidamente y cubren el área circundante. Sirven para separar un terreno destinado a la huerta del resto del jardín o para ocultar un montón de compost o unos tachos de basura. Es posible guiar todo tipo de plantas trepadoras para cubrir paredes o cercos poco vistosos. Algunos ejemplos son los pepinos y los zapallos. Las chauchas trepadoras se dañan fácilmente con el viento. Si el terreno no está protegido, es preferible optar por los alcauciles.

Cultivos compactos Cuando el espacio destinado a la huerta es muy pequeño, lo más sensato es cultivar en hileras compactas, aprovechando al máximo el terreno. En esta fotografía, las formas contrastantes de las lechugas lucen atractivas junto a una hilera de zanahorias. En el fondo, se ha cultivado choclo. Los cultivos compactos tienen ventajas y desventajas. No dejan espacio para acceder a la huerta, y las plantas más altas tienden a tapar el sol de las más bajas. Sin embargo, son menos propensos a las malezas, ya que se aprovecha todo el suelo. La sombra del choclo favorece a las lechugas en el verano.

La huerta en canteros

Los canteros permiten cultivar una huerta con facilidad. El jardinero se puede concentrar en un área pequeña para mejorar el suelo, desmalezar y plantar varios cultivos compactos.

Fotografías, en el sentido de las agujas del reloj

Modelo de eficiencia La principal ventaja de la huerta en canteros es el fácil acceso a todo el cantero desde los senderos. El suelo no se estropea. No es necesario dejar un espacio entre las plantas para acceder a ellas. Esto permite plantar algunas variedades como los puerros en cultivos más compactos y rendidores.

Decorativo y práctico Los canteros de ladrillo son ideales en los jardines pequeños. No solo otorgan un aspecto tradicional a la huerta sino que sirven para plantar variedades comestibles muy prácticas como las hierbas y las hojas de ensalada.

Jardín comestible de fácil mantenimiento Este jardín demuestra que el uso de canteros evita el crecimiento de las malezas. Solo es necesario agregar abono al área de cultivo. Además, las tareas de jardín se pueden realizar sin embarrarse los zapatos.

Canteros elevados para cultivar fácilmente

Por su altura, los canteros elevados aportan una estructura interesante al diseño del jardín. Además, permiten elevar el nivel del suelo para que el cultivo y la cosecha sean más sencillos.

Fotografías, en el sentido de las agujas del reloj

Canteros elevados con verduras de hoja En esta fotografía, se muestra un sencillo cantero elevado, preparado con tierra fértil y mucho compost. Es el lugar ideal para cultivar hierbas aromáticas y verduras de hoja exóticas como la espinaca roja. Estos cultivo crecen una y otra vez. Corte las hojas con un par de tijeras y obtendrá las más frescas hojas de ensalada.
Paraíso al sol Para muchos jardineros es muy conveniente no tener que agacharse o arrodillarse para cosechar. La construcción de un cantero elevado contra una pared o un cerco que reciban el sol, como en la ilustración, es ideal para cultivar tomates. Crecen muy bien y requieren menos agua que en macetas.
Cosechas instantáneas Los canteros elevados facilitan las tareas de la huerta a los jardineros que tiene dificultades para moverse y lucen bien. Esta variedad de tomate rastrero tiene un amplio espacio para crecer sobre el borde del cantero. Los frutos producen un efecto colorido y están a la altura perfecta para recolectar.
Desmalezar sin esfuerzos Este borde decorativo se aprovecha como asiento. De esta forma, desmalezar alrededor de los cultivos de lechuga, zanahoria y cebolla se convierte en una tarea sencilla en lugar de un esfuerzo. Las enredaderas de tomates que crecen sobre el cerco son ideales para aprovechar un espacio pequeño y producir un efecto de abundancia en esta zona del jardín.

Cultivos bajo cubierta

Algunas variedades requieren una protección contra el clima frío y las plagas persistentes, especialmente cuando están en desarrollo, ya que son más vulnerables. La mejor manera de evitar inconvenientes es preparar la huerta con la protección y el equipo más adecuados.

Fotografías, en el sentido de las agujas del reloj, desde la izquierda

Control de plagas Una tela metálica sostenida mediante aros de alambre impide que las palomas se devoren los repollos. Si la tela metálica es más fina, evitará el acceso de las mariposas, cuyas orugas voraces suelen destruir los cultivos.

Protección contra las heladas Las hojas para ensaladas como las lechugas moradas y las verduras orientales, responden bien si se las protege del frío y la humedad, y se pueden seguir cosechando durante el invierno.

Efecto invernadero Este invernadero está lleno de almácigos listos para trasladar al jardín y las macetas. Vale la pena tener un invernadero aunque el jardín sea pequeño. Permite contar con un espacio ideal para sembrar y preparar almácigos.

Protección de tomates Para proteger las plantas de tomates cultivadas en el exterior durante las noches heladas, basta con taparlas con un invernadero de plástico. Es económico y se puede adquirir en diversos tamaños.

Primeros pasos

La mayoría de las personas piensa que cultivar una huerta es una tarea de enormes dimensiones. No es así. Los dos primeros pasos son seleccionar un rincón adecuado del jardín y establecer el tipo de suelo. Luego puede comenzar con las variedades más fáciles de cultivar, tales como las hojas para ensaladas, los rabanitos y las hierbas aromáticas. Una vez que obtenga los primeros resultados, el entusiasmo lo impulsará a probar con otras verduras y hortalizas. En este capítulo aprenderá sobre los requisitos de cultivo y las herramientas que conviene adquirir antes de empezar a trabajar.

Selección del terreno

No siempre es posible cultivar una huerta en las condiciones ideales, especialmente si el terreno es pequeño. Vale la pena buscar un rincón soleado, protegido del viento, con buen acceso para regar y desmalezar.

Paredes protegidas o soleadas

Una pared que reciba sol protege del viento y emite el calor del sol a las plantas durante el día. También larga el calor del sol durante la noche, cuando disminuye la temperatura. Un microclima protegido es ideal para cultivar verduras y hortalizas que prefieran el calor, tales como los tomates, las berenjenas y los morrones. No olvide mejorar el suelo, preparar canteros elevados o ubicar macetas contra la pared. Recuerde regar las plantas con frecuencia.

Consejos para las paredes con sol

- Coloque un alambrado contra la pared para guiar las plantas trepadoras a medida que crecen.
- Aproveche las paredes con sol para cultivar tomates.
- Atrévase a cultivar variedades poco comunes, como el choclo dulce y los ajíes.

Una pared con sol es ideal para cultivar una amplia variedad.

Canteros pequeños para verduras y hortalizas

Intente aprovechar al máximo el espacio. Si programa cuidadosamente qué quiere cultivar podrá plantar una amplia variedad en el terreno. Muchas verduras y hortalizas son plantas atractivas. Sin embargo, los canteros lucirán mejor si agrega algunas flores, que suman color y atraen a los insectos beneficiosos para la polinización. Si planta los ejemplares a poca distancia entre sí, dejará poco suelo sin cultivar. Esto facilita el mantenimiento, ya que evita el crecimiento de las malezas. Por otro lado, las cosechas son menos abundantes.

Consejos para canteros pequeños

- Cuando se cultivan muchos ejemplares, el suelo debe ser muy fértil. No olvide agregar abono en otoño.
- Seleccione variedades de colores y formas interesantes para que el cantero luzca bonito.
- Preste atención a la altura de las plantas, ya que algunas pueden dar sombra y absorver la humedad del suelo en exceso.

Si cultiva en hileras compactas, evitará las malezas.

Cultivos en viveros

Proteger los cultivos en un vivero cuando el clima es frío y húmedo es beneficioso para lograr buenos resultados en la primavera, extender la cosecha hasta el otoño y plantar una amplia variedad de verduras y hortalizas delicadas que no prosperan al aire libre. Sin embargo, es complejo construir estructuras grandes en un jardín pequeño. Tenga en cuenta si el terreno es apto antes de comprar equipos costosos. Los viveros deben estar a pleno sol, lejos de árboles que den sombra y protegidos del viento. Las plantas bajo techo dependen de quien las cuida para recibir el agua y los nutrientes necesarios

Consejos para cultivar en viveros

- Controle la ventilación del vivero y las temperaturas. Evite el exceso de humedad ya que fomenta la aparición de enfermedades. Vale la pena invertir es un equipo de ventilación automático.
- Para proteger los cultivos jóvenes use estructuras desmontables.
- Si no hay espacio suficiente, intente sembrar semillas y cultivar variedades que necesiten sol en un balcón o alféizar soleado.
- Instale un suministro de agua cerca del vivero para facilitar el riego.

Un rincón con sol es fundamental para colocar un vivero.

Cultivos en macetas

Cuando no se dispone de espacio, o no se tiene un jardín, una magnífica idea es cultivar sus propias verduras y hortalizas caseras en macetas, canteros y canastos. Muchas variedades como el tomate, las verduras de hoja, las chauchas enanas y algunas hortalizas prosperan en macetas y lucen bellísimas en patios, balcones, escaleras y alféizares. Coloque un compost de buena calidad en las macetas o en los jardines con terrenos poco fértiles, que son propensos a las plagas y las enfermedades. Tenga en cuenta que las macetas y el compost pueden ser costosos y que si no riega y agrega fertilizantes periódicamente las plantas no crecerán bien. Piense en los aspectos prácticos.

Consejos para cultivar en macetas

- Para ahorrar dinero sea creativo. Fabrique sus propias macetas con envases de metal o plástico.
- Un buen drenaje es fundamental para que el sustrato no se anegue. Las macetas deben tener orificios en la base.
- Seleccione macetas grandes con capacidad para una buena cantidad de tierra fértil. Tardan más en perder la humedad y son ideales para cultivar verduras y hortalizas.
- Elija variedades aptas para cultivar en macetas, como las zanahorias pequeñas.

Estas acelgas coloridas se pueden cultivar en macetas.

Cómo conocer y mejorar el suelo

La estructura, la fertilidad, el drenaje y la acidez (pH) del suelo inciden en la salud de las plantas. Conocer el tipo de suelo y cómo mejorarlo lo ayudará a crear una huerta ideal.

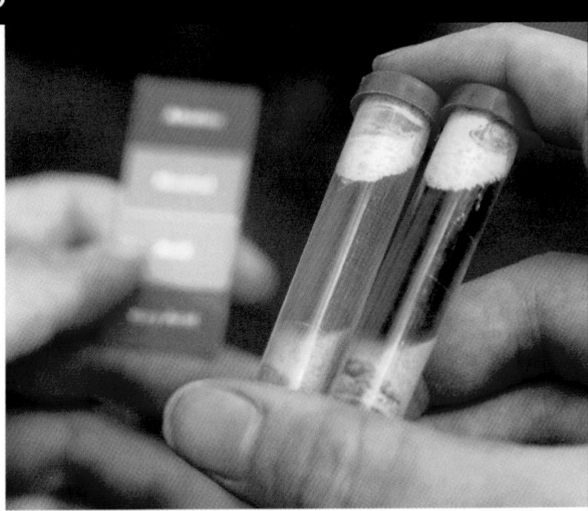
Estas pruebas permiten saber si el pH del terreno es ácido o alcalino.

Estado y fertilidad del suelo Un buen suelo es aquel que drena bien pero retiene el agua que las raíces necesitan absorber. Es fácil de cavar y tiene mucha materia orgánica, como lombrices, escarabajos, bacterias y hongos. La materia orgánica es un componente fundamental del suelo. Está compuesta por organismos diminutos que nutren el sustrato y mejoran la retención de humedad del terreno.
Un suelo sano y fértil es color marrón oscuro. No importa de que color sea su terreno. Para mejorarlo agregue materia orgánica en forma de compost o abono. Cada año reemplace el mantillo sobre la superficie del suelo húmedo.

Cómo medir el pH del suelo La escala de pH mide el grado de acidez del suelo, lo que establece la disponibilidad de nutrientes y la presencia de organismos que mejoran el sustrato o de enfermedades no deseables. Un nivel bajo en la escala de pH indica un suelo ácido. El pH de 7 es neutro y un nivel más alto indica un suelo alcalino. Los suelos para jardines suelen tener un pH entre 4,5 y 7,5. Sin embargo, el pH ideal para una huerta es el equivalente a 6,5. Aunque para aumentar el pH se puede agregar cal, es difícil disminuirlo. Los kits para medir del pH son fáciles de usar.
Es suficiente con mezclar una muestra de suelo en el tubo de ensayo, tal como se indica en las instrucciones, y comparar el color de la solución obtenida con el cuadro de resultados para establecer el pH.

Cómo establecer la textura del suelo

El tamaño de las partículas minerales del terreno establece su textura. Esto indica cómo se debe tratar al cultivar. Existen tres tipos de suelo: arcilloso, limoso y arenoso. Las proporciones varían de acuerdo al terreno. Tome un poco de suelo y apriételo entre los dedos.
Los suelos arcillosos forman terrones pegajosos cuando están húmedos, mientras que los arenosos se deslizan entre los dedos y los limosos tiene una textura sedosa.
Los suelos arcillosos retienen el agua y los nutrientes pero a veces no drenan bien y son pesados. Los suelos arenosos se cavan fácilmente pero suelen secarse y perder nutrientes.

Para aligerar un suelo arcilloso, agregue arena.

Para mejorar la retención de humedad de un suelo arenoso, agregue materia orgánica.

Cómo agregar materia orgánica Para mejorar la composición del suelo, agregue materia orgánica todos los años. Es particularmente beneficioso para los suelos arenosos, ya que retiene los nutrientes y la humedad que, de lo contario, se perderían. Si agrega materia orgánica y arena a un suelo arcilloso, mejorará su composición y su textura pegajosa.

El abono orgánico es un tipo de materia orgánica muy valioso. Otras alternativas beneficiosas son el estiércol y los abonos vegetales. En caso de sequía, cubra el suelo con 10 a 15 cm de materia orgánica. También puede cultivar un abono vegetal como la mostaza (*derecha*), cortarla antes de que se ponga leñosa, dejarla marchitar y, luego, mezclarla con el suelo.

Cómo agregar un mantillo El mantillo es una capa que cubre la superficie del suelo. Puede ser orgánica o plástica. Evita que la humedad se evapore de la superficie del suelo, a la vez que controla la temperatura e inhibe el crecimiento de las malezas. Los restos de lombrices de tierra también sirven para preparar mantillos, mejorando la composición del suelo. Los mantillos más comunes son el compost de jardinería, el abono y la paja. Aplíquelos generosamente alrededor de las plantas. Para evitar la podredumbre, deje espacios entre los tallos y el mantillo. Coloque el mantillo sobre un suelo húmedo para que el agua penetre a través del mismo fácilmente.

Cómo convertir un suelo ácido en alcalino Para aumentar el pH de un suelo ácido agregue cal. Logrará un sustrato adecuado para cultivar. La forma más económica y eficaz es aplicar tiza o cal en polvo. La proporción que se debe agregar depende del tipo de suelo. Los sustratos arcillosos necesitan más cal que los arenosos. Mejore el suelo en otoño o invierno, por lo menos cuatro semanas antes de agregar un abono orgánico. Divida el terreno en sectores de 1 metro cuadrado. Sin olvidar el uso de guantes, mangas largas, anteojos protectores y máscara, pese la cantidad adecuada de cal para un metro cuadrado. Distribuya en forma pareja sobre el suelo. Repita el proceso hasta cubrir todo el terreno y rastrille sobre la cal.

Cómo conocer y mejorar el suelo *(continuación)*

Desmalezar Elimine las malezas de la superficie del terreno y quémelas en una zanja. En primer lugar, elimine las malezas perennes. Pase ligeramente el rastrillo por la superficie para arrancarlas. A continuación, cave en el área ya limpia y dé vuelta la tierra con malezas, para que las raíces queden hacia afuera. Repita este procedimiento en todo el terreno para que las malezas marchitas sirvan para mejorar la tierra.

Con un rastrillo, arranque las malezas.

Coloque las malezas en una zanja.

Cómo agregar materia orgánica El método más usual para agregar materia orgánica al suelo es hacerlo de una sola vez. Agregue una capa de materia orgánica sobre todo el terreno, cavando y removiendo. Primero cave una zanja de 30 cm de ancho y 10 cm de profundidad a lo largo del terreno. Traslade la tierra hasta un extremo con una carretilla. Cave otra zanja, incorpore materia orgánica en la primera zanja. Repita el proceso en todo el terreno hasta mezclar el suelo de la primera zanja con el de la última.

Cómo agregar materia orgánica en dos etapas En un terreno nuevo con una profunda capa de suelo superficial, cave una zanja de 60 cm de ancho y 20 cm de profundidad y agréguele materia orgánica. Mueva el suelo hasta el final del terreno. Cave una segunda zanja del mismo tamaño al lado de la primera y con la tierra, llene la primera zanja. Agregue materia orgánica al fondo de la segunda zanja. Repita estos pasos en todo el terreno. Si el suelo es fino, cave 10 cm de profundidad. Cubra el fondo con materia orgánica para evitar que la tierra infértil toque la superficie.

Cómo obtener una tierra cultivable
Las semillas y los plantines necesitan un suelo superficial con una textura fina y uniforme, sin piedras ni restos de plantas. Rastrille el terreno. Primero en una dirección y después en la dirección contraria.

Cómo aplicar fertilizantes Preparar bien el terreno antes de cultivar implica agregar nutrientes. En los suelos poco fértiles o recién cultivados puede ser necesario aplicar un fertilizante mientras las plantas crecen. Los fertilizantes contienen nitrógeno (N), fósforo (P) y potasio (K) en diversas proporciones. Elija los productos que mejor se adapten a sus necesidades. Siempre que aplique fertilizantes use guantes. Agregue solo la cantidad recomendada. El exceso de nutrientes es dañino para las plantas. Distribuya en forma pareja el fertilizante cerca de la zona de la raíz evitando que caiga sobre las hojas, ya que las quemará. Con ayuda de una azada, incorpórelo a la superficie del suelo.

Cómo preparar compost

Busque un lugar para apilar el montón de compost o colocar un recipiente. Los desperdicios de la cocina y del jardín son una valiosa fuente de materia orgánica para abonar la tierra o como mantillo.

El resultado final El aspecto del compost debe ser de color marrón oscuro, textura granulada y aroma a tierra fértil. La descomposición de los materiales voluminosos requiere oxígeno, humedad y un equilibrio correcto de desperdicios ricos en carbono y en nitrógeno (*página opuesta*). Aunque es necesario tener en cuenta estos elementos, la preparación del compost es sencilla.

Recipientes para almacenar compost El primer paso es encontrar un recipiente apto para el tamaño del jardín y la cantidad de desperdicios que se reciclarán. Lo mejor es colocar dos recipientes. El contenido del primero se ventila al verterlo en el segundo, a la vez que se forma otro montón en el primero. El tipo de recipiente depende del aspecto, el espacio y el precio. Lo más importante es que tenga una cubierta que evite la acumulación de agua. Coloque el recipiente sobre el suelo, agregue materia para compost y deje que la naturaleza se ocupe del resto.

Los recipientes de madera se pueden comprar o fabricar en casa. Elija un modelo con paredes desmontables, fáciles de mover.

Los recipientes de plástico son económicos y fáciles de instalar. Por su diseño, es complicado remover el contenido.

Los recipientes de malla metálica son aptos para preparar compost con hojas caídas.

¿Qué contiene el compost? Casi todos los desperdicios del jardín sirven para preparar compost, excepto las plantas con enfermedades, las malezas perennes, y los restos de carne o alimentos cocinados. Los residuos orgánicos, ricos en nitrógeno contribuyen a la descomposición, pero deben mantener un equilibrio con los residuos ricos en carbono. Además, es necesario permitir una adecuada circulación de aire. Intente formar una mezcla mixta de ambos tipos de residuos durante el año.

Qué agregar

- Restos de ramas y setos cortados al podar, tallos, hojas otoñales, papel y cartón triturados.
- Restos de césped cortado, rico en nitrógeno; plantas herbáceas, malezas, verduras marchitas, cáscaras de fruta y verdura, bolsitas de té, posos de café.

La materia rica en carbono es voluminosa.

Corte los materiales leñosos antes de agregarlos.

Cómo hacer un depósito para compost

Los desperdicios de la cocina, tales como las cáscaras de frutas y verduras, las bolsas de té y las cáscaras de huevo se pueden aprovechar para preparar compost. Prepare el depósito en otoño, cuando varias zonas del terreno están poco cubiertas y los desperdicios se descomponen lentamente. De esa forma, tendrá el compost listo en la época de siembra. Las plantas vigorosas, como la chauchas y los zapallos, responden muy bien a los nutrientes que aportan los desperdicios orgánicos. Cave una zanja de alrededor de 30 cm de ancho y 10 cm de profundidad. A continuación, llénela con capas alternadas de desperdicios y tierra. Cubra la superficie con tierra. Debe esperar por lo menos dos meses antes de cultivar en la tierra abonada. No agregue desperdicios de restos de alimentos cocinados o carnes, ya que atraen a los animales indeseables.

Arroje los residuos en el fondo de la zanja.

Llene con capas alternadas de tierra y residuos.

Cómo regar con eficacia

En verano, cuando hace calor y escasea el agua, es difícil regar. Si aprende a reciclar y a acumular agua podrá abastecerse sin problemas.

Plantas sanas Las plantas en terrenos secos son susceptibles a las enfermedades. Además, dan menos frutos. Conserve el suelo húmedo. Riegue generosamente para que la humedad penetre en el terreno en lugar de apenas humedecer la superficie todos los días. Para minimizar la evaporación riegue al final de la tarde o bien temprano, a la mañana.

Acumulación de agua de lluvia Es posible recoger agua del techo, el garaje, el vivero o la terraza y almacenarla en contenedores. Este suministro de agua de lluvia es una alternativa valiosa cuando hay sequía y falta agua para regar. Es más sencillo instalar un contenedor de agua que una canilla en un lugar conveniente del jardín, cerca del vivero o de un lugar protegido. Asegure el contenedor de agua sobre una base de ladrillos o losa. Aunque a muchos jardineros no les agrada el aspecto de los recipientes de plástico, es fácil ocultarlos con algunas plantas ornamentales, como las gramíneas y el bambú (*derecha*) o con trepadoras.

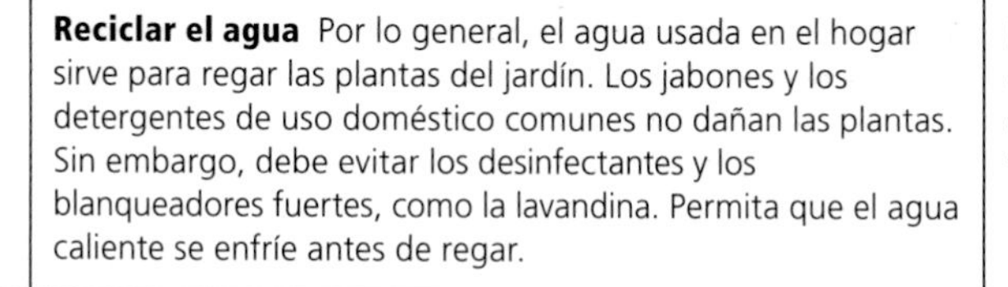

Reciclar el agua Por lo general, el agua usada en el hogar sirve para regar las plantas del jardín. Los jabones y los detergentes de uso doméstico comunes no dañan las plantas. Sin embargo, debe evitar los desinfectantes y los blanqueadores fuertes, como la lavandina. Permita que el agua caliente se enfríe antes de regar.

Regar las raíces Vierta agua alrededor del tronco o el tallo, detrás del follaje, para que el suelo la absorba por completo en la zona de las raíces. La sombra que procuran las hojas también evita la evaporación.

Herramientas principales

Si bien contar con herramientas de buena calidad no significa que trabajen en su lugar, facilitan considerablemente las tareas de jardinería. Disfrutará mucho más que si usa productos inadecuados o mal fabricados.

Cada cosa en su lugar Las herramientas principales son la pala, la horqueta, la horquilla de mano, el desplantador, la azada y las tijeras de podar. Si se conservan en buenas condiciones, duran muchos años. Guárdelas en un lugar seguro y seco. Límpielas y afílelas con frecuencia.

Palas y horquetas

Estos aliados incondicionales del jardinero se usan para cavar, plantar, cosechar y muchas otras tareas. Vale la pena invertir en las de mejor calidad posible. Verifique que la longitud del palo y el mango sean cómodos.

- **Pala común** Una pala de alrededor de 28 x 20 es ideal para trabajar en zonas grandes con eficacia.
- **Pala para bordes** Una pala más pequeña y liviana permite trabajar en los jardines pequeños.
- **Horqueta para cavar** Una horqueta de cuatro dientes de 30 cm de ancho es la herramienta ideal para cultivar variedades pesadas.
- **Horqueta para bordes** Tiene cuatro dientes pequeños y angostos, es ligera y resulta perfecta para los espacios reducidos.

Desmenuce el suelo con una horqueta

Ventile las papas con una pala.

Rastrillos y azadas

Estas herramientas se usan para preparar el suelo a cultivar y para controlar el crecimiento de malezas. Si no tiene espacio para guardar las herramientas, compre solamente un mango y varias herramientas desmontables.

- **Rastrillo de metal** Por lo general tiene un mango largo y el rastrillo mide cerca de 30 cm de ancho. Úselo para preparar tierra cultivable.
- **Rastrillo con extremo de madera** Se usa para nivelar el terreno. Por lo general tiene alrededor de 75 cm de ancho.
- **Azada plana** Empuje la parte afilada de la azada plana unos pocos centímetros hacia el fondo para destruir las malezas desde las raíces.
- **Azadilla con mango largo** Para arrancar las raíces de las malezas, inserte la herramienta con movimientos cortos en la tierra Puede usarla para marcar surcos y sembrar.

Arranque las malezas con una azada.

Rastrille para lograr tierra cultivable.

Herramientas para plantar

Las tareas delicadas como la plantación de almácigos y plantines requiere herramientas pequeñas. Facilitan el trabajo a la vez que evitan que las plantas se arruinen. Adquiera herramientas fáciles de usar. Disfrutará de la jardinería y hará un menor esfuerzo físico.

- **Horquilla de mano** Por lo general, tiene tres dientes y un mango de madera o plástico. Compre una horquilla sólida para plantar y desmalezar.
- **Desplantador** La herramienta ideal para cavar orificios para plantar. La cuchilla siempre es corta, pero puede tener diversos anchos.
- **Plantador** Es útil para levantar plantines o hacer pequeños orificios para plantar. Se fabrican de plástico, metal o madera.

Marque surcos con un plantador.

Levante con un desplantador.

Cañas y alambrados

Para que las plantas altas y las trepadoras toleren los vientos, den frutos a una altura conveniente para su cosecha y luzcan bien, necesitan el soporte adecuado. De lo contrario, se desparraman por el suelo.

- **Cañas de bambú** Disponga estructuras o filas de cañas para las trepadoras y las plantas altas que caigan por el peso de los frutos o por la acción del viento.
- **Ramas para las arvejas** Una hilera de ramas de avellano o abedul es ideal para que las plantas de arvejas trepen y se desarrollen.
- **Alambrado** Una malla metálica liviana, sujeta con estacas o cañas es ideal para que las plantas de arvejas crezcan.
- **Red de nylon** Evita que los pájaros y los roedores accedan a los cultivos. Si es lo suficientemente fina, incluso puede impedir que ingresen mariposas.

Porotos trepadores, con soportes de caña.

El alambrado sirve para guiar las arvejas.

Campanas

Proteja los plantines con campanas y obtendrá cosechas tempranas. Las campanas de vidrio permiten un mayor grado de aislamiento. Sin embargo, las de plástico son económicas y no se rompen fácilmente.

- **Túnel de plástico** Es ideal para proteger una hilera de cultivos. Liviano, fácil de trasladar, necesita quedar firme en su lugar.
- **Campanas caseras** Las botellas de agua mineral transparentes se cortan por la mitad y sirven como campanas, a la vez que permiten una adecuada ventilación.
- **Campana de vidrio** Atractivas y prácticas, estas campanas tienen una tapa que se puede levantar para que entre el aire.
- **Campanas de plástico** Para que no las vuele el viento, es necesario afirmarlas bien. Son versátiles y económicas.

Las campanas de vidrio son ideales para cubrir hileras.

Las campanas caseras son eficaces.

Campanas y cobertizos

Proteja los cultivos contra las plagas y estimule el crecimiento durante los meses invernales cubriéndolos con campanas o cultivándolos en cobertizos fijos.

Campanas de botellas de plástico Son muchas las plantas que necesitan protección cuando la temperatura es baja. Las campanas que se encuentran en las tiendas especializadas suelen ser caras. Una opción económica y efectiva es colocar mitades de botellas sobre las plantas.

Campanas de plástico corrugado Las filas de plantas se pueden cubrir con túneles largos y bajos. Los extremos quedan abiertos para permitir la ventilación y se cierran cuando hace falta más protección. Como la lluvia no llegará hasta las plantas cubiertas no debe olvidar regarlas.

Campanas de plástico rígido Estas campanas grandes son ideales para proteger plantines o cultivos más voluminosos como el zapallito o la papa temprana. Un ambiente cálido y seco es perfecto para secar las cebollas después de la cosecha. Asegure bien estas estructuras livianas.

Cobertizos Por lo general, se trata de estructuras permanentes de ladrillo con marcos de ventana, que protegen a los plantines del frío a la vez que alargan la temporada de cosecha de cultivos como las ensaladas de hoja y los zapallitos. Se construyen en lugares protegidos y soleados. Son una buena alternativa en lugar de un vivero cuando se dispone de un jardín pequeño. Permiten aprovechar al máximo la luz que llega a las plantas. Un ventanal con una base resistente es un buen lugar para aclimatar plantas en macetas antes de trasplantarlas en el exterior. Un cantero con un sustrato mejorado permite que los cultivos crezcan bien dentro del cobertizo. Mantenga las ventanas abiertas durante el día para que se ventilen y riegue bien.

Cómo aprovechar el vivero

El vivero es ideal para empezar a cultivar con anticipación y obtener mejores cosechas, ya que aumenta la temperatura del aire y, si cuenta con calefacción, protege a las plantas de las heladas.

Humedecer Cuando el clima estival es muy caluroso, las plantas se ponen mustias si el aire es muy seco. Para contrarrestar la falta de agua, moje el suelo y los estantes del vivero y elevará el nivel de humedad.

Control de la temperatura Como las plantas sufren en un invernadero muy caluroso, y las hojas se marchitan cuando el sol es muy fuerte, recurra a algún método para obtener sombra en verano. Una forma efectiva y económica es aplicar una capa de cal a las ventanas externas del vivero al inicio del verano. Cuando los rayos del sol sean menos intensos, al término del verano, elimine la cal. Otra opción es colocar una media sombra. Se puede sujetar desde el exterior del vivero. Es un método menos efectivo que el de aplicar cal para ensombrecer el vivero. Para que el vivero esté libre de heladas, instale un calefactor especialmente diseñado para viveros. Los ventiladores con control de temperatura son una buena opción. Contrate a un electricista matriculado para la instalación eléctrica.

En verano, aplique una capa de cal.

Para disminuir la temperatura, coloque una media sombra.

Ventilación efectiva Aún en invierno, los viveros necesitan una adecuada ventilación. En verano, es fundamental ventilar a fondo para controlar la temperatura. Las rejillas de respiración en el techo dejan escapar el aire caliente, mientras que las que se colocan a nivel del suelo dejan entrar el aire fresco del exterior. Para lograr una buena circulación, mantenga ambas abiertas. Controle la ventilación en las noches heladas.

Espacio extra en estantes En la primavera se pueden colocar bandejas y macetas con semillas germinadas y plantines antes de trasplantarlos. Una vez que los plantines se colocan en el jardín, los estantes ocupan un valioso espacio. Instale estantes plegables y tendrá más espacio para los cultivos principales del vivero.

Cómo planificar qué cultivar

Frente a la inmensa variedad de hortalizas que existen, cuando sólo se cuenta con un jardín pequeño puede resultar difícil decidir qué cultivar. Sin embargo, si destina algo de tiempo a planear cómo aprovechar el espacio, es posible que logre cultivar una sorprendente variedad.

Cultive las plantas correctas Ante la tentación de las variedades de hortalizas exóticas que existen, muchas veces los jardineros olvidan cultivar lo que les gusta comer. Si bien es maravilloso cosechar una delicada planta de repollo crespo o de colirrábano (kohlrabi), si detesta su sabor, todos sus esfuerzos habrán sido en vano. Por otro lado, deje de esforzarse por encontrar hortalizas y hierbas poco comunes en las tiendas especializadas y cultive usted mismo lo que necesita. Las plantas fáciles de cultivar, como las chauchas y el brócoli con brotes morados, generalmente son costosas, por lo que tiene sentido cultivar aquellas especies por las que pagaría un mayor precio.

Utilice el espacio de manera eficiente Aproveche al máximo cada centímetro de tierra. Para ello, planee cuánto tiempo permanecerá cada planta en el suelo y qué se puede plantar inmediatamente después en ese mismo lugar. La siembra intercalada, como se muestra en la fotografía, con tomates y lechugas, es un muy buen método para cultivar una variedad de rápido crecimiento entre plantas de desarrollo más lento antes de que cubran el espacio asignado. Se pueden plantar pequeños canteros a los que se pueda acceder fácilmente desde un sendero, ya que no es necesario pisar la tierra. De esta manera, es posible cultivar una mayor cantidad de plantas en un espacio acotado y así aumentar la productividad.

Siembra inteligente Analice las condiciones del suelo y las características del clima antes de plantar. Estos factores inciden en qué cultivos se desarrollarán satisfactoriamente, por lo que vale la pena tenerlos en cuenta en lugar de luchar contra ellos. En las regiones frías, conviene invertir en un invernadero o vivero, o colocar los cultivos jóvenes y aquellos que necesitan calor en el alféizar de una ventana o en un jardín de invierno. Para garantizar una provisión uniforme de varios vegetales, siembre pequeñas cantidades de semillas sucesivamente cada dos o tres semanas, para que maduren durante un largo período de tiempo.

La lechuga es ideal para sembrar entre tomates de crecimiento lento, ya que se cosechará antes de que los tomates requieran más espacio.

Sistema de rotación de cultivos con tres canteros

Rotación de cultivos Los vegetales se pueden dividir en tres grupos principales según sus requerimientos: hortalizas, legumbres y crucíferas. Tradicionalmente, los grupos se cultivan juntos y se rotan, en orden, por tres canteros. Los distintos cultivos tienen diferentes necesidades de suelo y nutrientes y al rotarlos se favorece el medioambiente adecuado para cada tipo. Por ejemplo, las legumbres aportan nitrógeno a la tierra, y por lo tanto, luego se deben plantar crucíferas que requieren muchos nutrientes. Las hortalizas necesitan niveles más bajos de nitrógeno, entonces funcionan bien después de las crucíferas y además preparan el suelo para las raíces profundas de las legumbres. La familia de la calabaza, las hortalizas con frutos y las hojas verdes se pueden cultivar junto con cualquiera de los grupos.

¿Por qué tomarse este trabajo? La rotación de cultivos vale la pena aún en jardines pequeños, ya que al plantar en el mismo lugar año tras año, se agravan los problemas vinculados con plagas y enfermedades. La rotación anual disminuye este riesgo y contribuye a regular el pH de la tierra, ya que sólo las crucíferas pueden necesitar agregado de cal.

Primer cantero
- Primer año: hortalizas.
  Agregue gran cantidad de materia orgánica antes de plantar.
- Segundo año: legumbres.
  Para preparar la tierra, agregue una abundante cantidad de abono o compost.
- Tercer año: crucíferas.
  Agregue cal a los suelos ácidos. Se recomienda colocar más compost orgánico.

Segundo cantero
- Primer año: legumbres.
  Mejore el suelo con mucha cantidad de abono o compost.
- Segundo año: crucíferas.
  Agregue compost de buena calidad y cal a los suelos ácidos para controlar la hernia del repollo.
- Tercer año: hortalizas.
  Para preparar la tierra, incorpore más materia orgánica.

Tercer cantero
- Primer año: crucíferas.
  Aplique compost y la cantidad correcta de cal a los suelos ácidos.
- Segundo año: hortalizas.
  Agregue más compost para mantener la tierra en buen estado.
- Tercer año: legumbres.
  Aplique abono orgánico para retener la humedad e incorporar nutrientes.

Hortalizas

Fáciles de cultivar e indispensables en la cocina, la mayoría de las hortalizas simplemente requieren que se las siembre en el exterior y se mantengan libres de malezas. Si se cultivan variedades seleccionadas cuidadosamente y se siembra de manera sucesiva, es posible cosechar hortalizas todo el año.

Cómo cultivar

Ubicación y suelo Las hortalizas requieren un suelo bien drenado y ligeramente ácido que contenga materia orgánica y algunos de los nutrientes incorporados en una cosecha anterior. Sin embargo, las papas crecen mejor en suelos recientemente abonados y las crucíferas (rabanito, nabo sueco y nabo) pueden contraer enfermedades como la hernia del repollo en suelos ácidos que no se hayan tratado con cal. Los suelos pedregosos pueden generar malformaciones en los cultivos con raíces largas.

Siembra y cultivo La mayoría de las hortalizas se desarrollan a partir de semillas, que se siembran a comienzo de la primavera, en interior y dentro de semilleros. Siembre las semillas en agujeros de la profundidad adecuada (*véase la tabla a continuación*), cubra con tierra y riegue. Siembre zanahorias, remolachas, nabos y rabanitos de manera sucesiva durante algunas semanas para lograr una provisión uniforme de estos vegetales. Las papas para sembrar, en realidad son tubérculos que deben germinar en un lugar fresco y luminoso antes de plantarlos en un orificio profundo o en espacios individuales.

Cuidado y posibles problemas Acomode los almácigos y deje el espacio necesario para que crezcan plantas fuertes. Mantenga el suelo que rodea a la planta húmedo y libre de malezas. Riegue cuando sea necesario durante las épocas de clima seco. Proteja las plantas de papa de las heladas. Cubra los tallos y las hojas inferiores con tierra (aporcar) a medida que crecen. En climas húmedos, las papas suelen contraer añublo. Zanahorias, chirivías y crucíferas también suelen contraer ciertas plagas y enfermedades (*véase págs. 112-115*). Tome las medidas necesarias para minimizar estos problemas y cultive variedades resistentes.

Cosecha y almacenamiento La mayoría de las hortalizas se pueden dejar plantadas hasta que se las necesite, pero se deben proteger de las heladas. Coseche las papas a comienzos del otoño, déjelas secar durante algunas horas y almacénelas en bolsas de papel en un lugar fresco y oscuro.

Profundidad de siembra y distancia entre cultivos

CULTIVO	PROFUNDIDAD	DISTANCIA	
		Plantas	Hileras
Papa temprana	10 cm	30 cm	40 cm
Papa cultivo principal	10 cm	38 cm	75 cm
Remolacha	2,5 cm	10 cm	25 cm
Zanahoria	1-2 cm	10 cm	15 cm
Chirivía	2 cm	15 cm	25 cm
Rabanito	1 cm	2,5 cm	15 cm
Nabo sueco	2 cm	20 cm	35 cm
Nabo	2 cm	10 cm	25 cm

Zanahorias recién cosechadas.

Consejos para cultivar

Protección contra la mosca de la zanahoria Para evitar visitas no deseadas de este insecto, es suficiente con colocar una barrera de 60 cm de un tejido muy fino, material aislante o plástico, ajustado alrededor de soportes enterrados en la base (*izquierda*) y así evitar que las moscas hembra que vuelan cerca del suelo depositen sus huevos sobre la planta.

Cultivos en macetas Zanahorias, remolachas y rabanitos pueden crecer perfectamente en recipientes de al menos 25 cm de ancho y profundidad mientras que las plantas se rieguen periódicamente (se necesitan macetas más grandes para papas). Esta es una buena forma de comenzar con los cultivos más tempranos bajo techo.

Cultivo de papas usando plásticos negros Si aporcar papas parece demasiado esfuerzo, pruebe colocar la planta en orificios hechos sobre una lámina de plástico grueso de color negro. Introduzca los bordes en la tierra para sujetar el plástico y mantenerlo en su lugar. Así se evita el contacto con la luz y se calienta la tierra para acelerar la maduración del cultivo.

Selección de cultivos

Papa Las de cosecha temprana (mediados del verano) son ideales para jardines pequeños; otras mantienen la tierra ocupada hasta mediados del otoño.

Remolacha No todas son rojas. Puede elegir variedades de colores poco habituales y optar por tipos resistentes a la floración prematura para la siembra temprana.

Chirivía Permanecen en la tierra durante el invierno con una cubierta de paja, pero es necesario sembrar las semillas la primavera anterior.

Rabanito Siembre de manera sucesiva para cosechar durante largas temporadas. En verano puede sembrar rabanitos de invierno, exóticos y resistentes.

Crucíferas

Este grupo de hortalizas, que crecen junto a muchos de los cultivos invernales más resistentes, como el repollo y los repollitos de Bruselas, que lo acompañarán durante momentos de escasez, también comprende muchos clásicos estivales y verduras orientales como la mizuna.

Repollos sanos, listos para cosechar.

Cómo cultivar

Ubicación y suelo Los suelos húmedos, fértiles y bien drenados son ideales para la mayoría de las crucíferas, por lo tanto, es recomendable incorporar grandes cantidades de materia orgánica antes de plantar. Agregue cal a los suelos con un pH inferior a 6,8 para evitar la floración prematura y rote los cultivos para evitar la propagación de esta enfermedad en la tierra. La tierra firme mantiene estables a las plantas durante el invierno. El cantero no debe ser demasiado profundo. Las crucíferas prefieren el sol pleno, pero también toleran la sombra parcial, mientras que las plantas más altas, como los repollitos de Bruselas, se deben sujetar a soportes en ubicaciones ventosas.

Siembra y cultivo Se recomienda sembrar la mayoría de las crucíferas durante la primavera en un cantero exterior alargado o en almácigos cubiertos, y luego trasplantar a sus ubicaciones definitivas. Las semillas estivales de brócoli calabrés y colirrábano se deben sembrar directamente en semilleros en su ubicación final.

Cuidado y posibles problemas Las crucíferas son cultivos de climas frescos y tienden a sufrir floración prematura en épocas calurosas y secas. En climas secos, riegue a diario las plantas recién trasplantadas y una vez por semana las plantas maduras. Detecte de manera temprana síntomas de plagas y enfermedades. Un problema muy común es la mosca del repollo, que deja sus huevos en todas las crucíferas. Cubra las plantas con un material aislante para evitar que las mariposas depositen sus huevos. Babosas, caracoles, áfidos y moscas blancas atacan a las crucíferas. Las palomas pueden destruir los cultivos invernales. Tome las medidas necesarias para evitar la hernia del repollo.

Cosecha y almacenamiento Los cultivos invernales y primaverales resistentes crecen bien en el jardín. Se pueden cosechar en cualquier momento, pero coma los cultivos de verano cuando estén frescos, antes de que florezcan de manera prematura.

Profundidad de siembra y distancia entre cultivos

CULTIVO	PROFUNDIDAD	DISTANCIA	
		Plantas	Hileras
Repollo - primavera	2 cm	25 cm	30 cm
verano/otoño	2 cm	45 cm	45 cm
invierno	2 cm	45 cm	60 cm
Coliflor	2 cm	45 cm	60 cm
Repollitos de Bruselas	2 cm	60 cm	60 cm
Brócoli calabrés	2 cm	20 cm	30 cm
Brócoli morado	2 cm	60 cm	60 cm
Repollo crespo o rizado	2 cm	45 cm	45 cm
Colirrábano	2 cm	23 cm	30 cm

Consejos para cultivar

Protección contra las palomas Los cultivos invernales de crucíferas son los favoritos de las palomas hambrientas. Adelántese a su festín y proteja las plantas cubriendo los canteros de crucíferas con redes (*véase a la izquierda*) sujetadas a estacas o alambres que sean lo suficientemente resistentes para soportar los rigores del invierno.

Cómo combatir a la mosca del repollo Las moscas hembra depositan sus huevos en la base de las plantas jóvenes. Compre collares o hágalos usted mismo con papel grueso o revestimiento de alfombras para evitar que esto suceda. Use cuadrados de 15 cm del material que haya elegido y corte una rendija en el centro de cada uno para poder ajustarlos cómodamente alrededor de la base de la planta.

Regeneración instantánea El brócoli común y el brócoli calabrés continúan produciendo brotes secundarios una vez cortada la parte central y una cosecha frecuente favorece aún más la producción de brotes. Al cosechar repollos de verano, deje tocones de unos 5 cm y realice un corte en forma de cruz de 1 cm de profundidad en la parte superior. Esto favorece el desarrollo de cabezas llenas de hojas que le proporcionarán una segunda cosecha.

Selección de cultivos

Coliflor Crece mejor en suelos ricos y densos con mucho abono. Arranque las hojas exteriores de las plantas para protegerla del sol y las heladas.

Repollo crespo o rizado Planta resistente, que tolera suelos poco fértiles y es muy fácil de cultivar. Distintos colores y texturas iluminan el jardín durante el invierno.

Repollitos de Bruselas Coseche este clásico del invierno desde la base del tallo hacia arriba, arrancando cada brote manualmente.

Colirrábano Los tallos de esta planta exótica de crecimiento rápido son ideales para ensaladas o frituras ligeras. Coseche cuando tenga el tamaño de una pelota de tenis.

Bulbos

Este grupo comprende las cebollas, los puerros y los ajos. Todos tienen un sabor muy fuerte y son muy fáciles de cultivar en suelos con buen drenaje. Resulta difícil imaginar cómo preparar una comida sin estos elementos y todos ellos aportan grandes beneficios para la salud. Entonces, ¿por qué no cultivarlos usted mismo?

Cómo cultivar

Ubicación y suelo Un espacio soleado y abierto con suelo fértil y bien drenado es ideal para cultivar estos vegetales, ya que tienden a contraer enfermedades fúngicas en condiciones de humedad. Agregue cal a la tierra con un pH inferior a 6,5 y no cultive en el mismo lugar año tras año. Abone el suelo unos meses antes para evitar el crecimiento de brotes demasiado débiles.

Siembra y cultivo Todos los bulbos, excepto el ajo, se pueden cultivar a partir de semillas. A comienzos de la primavera, siembre los cultivos tempranos en almácigos cubiertos con vidrio y los cultivos tardíos en el exterior. Aclimate los almácigos cultivados en interior y plántelos en las ubicaciones deseadas o siembre directamente en hileras. La distancia final indica el tamaño de los bulbos a cosechar. Trasplante los almácigos de puerros cuando tengan el tamaño de un lápiz. Introdúzcalos en orificios de 15 cm de profundidad y del ancho del mango de una pala. Riegue abundantemente, pero no rellene con tierra. Luego siembre las cebollas escalonia. Las cebollas y los chalotes también se pueden plantar en conjuntos (y los ajos en racimos). Estos pequeños bulbos maduran más rápido y son menos propensos a contraer enfermedades que las plantas que se cultivan a partir de semillas.

Cuidado y posibles problemas Riegue las cebollas y los chalotes cuando el clima sea muy seco. Los puerros responden bien al riego periódico y a la colocación de mantillos. Mantenga el suelo libre de malezas. Los bulbos tienden a contraer enfermedades fúngicas, como decaimiento, mildiu y pudrición radicular. Para minimizar estos problemas, se debe mantener una adecuada circulación de aire alrededor de las plantas y el suelo bien drenado.

Cosecha y almacenamiento Coseche puerros y cebollas escalonia cuando estén verdes, pero espere a que las hojas de las cebollas, chalotes y ajos adquieran una coloración amarillenta y mueran. Almacene cebollas, chalotes y ajos en recipientes de alambre tejido hasta que las hojas estén secas.

Profundidad de siembra y distancia entre cultivos

CULTIVO	PROFUNDIDAD	DISTANCIA	
		Plantas	Hileras
Cebollas	2 cm	5-10 cm	30 cm
Chalotes	2,5 cm	15-20 cm	25 cm
Ajo (dientes)	5-10 cm	10 cm	30 cm
Puerros	2,5 cm	15 cm	30 cm
Cebollas escalonia	1 cm	1 cm	15 cm

Puerros frescos y sanos, recién cosechados.

Consejos para cultivar

Cebollas Desde fines del invierno hasta comienzos de la primavera, coloque los conjuntos en un orificio poco profundo de manera que sólo se asomen las puntas.

Cosechar una vez que se hayan marchitado las hojas Tenga paciencia y permita que las hojas de las cebollas, chalotes y ajos vayan marchitándose de manera natural antes de cosechar desde fines del verano hasta principios del otoño. Si piensa almacenar los bulbos, no ceda ante la tentación de doblar las hojas, ya que podrían dañarse y se marchitarían más rápido. Levante cuidadosamente la cosecha con un rastrillo para evitar cualquier golpe que pudiera pudrir la planta más tarde.

Selección de cultivos

Cebollas Las pequeñas o tratadas con calor, son menos propensas a la floración prematura y son una buena alternativa para principiantes que buscan cultivos sencillos.

Chalotes Un cultivo de chalotes se dividirá y producirá varios bulbos pequeños y dulces que se venden a un precio muy alto en los negocios.

Ajo No plante dientes que haya conseguido en el supermercado. Obtendrá mejores resultados si utiliza distintas variedades libres de virus para climas frescos.

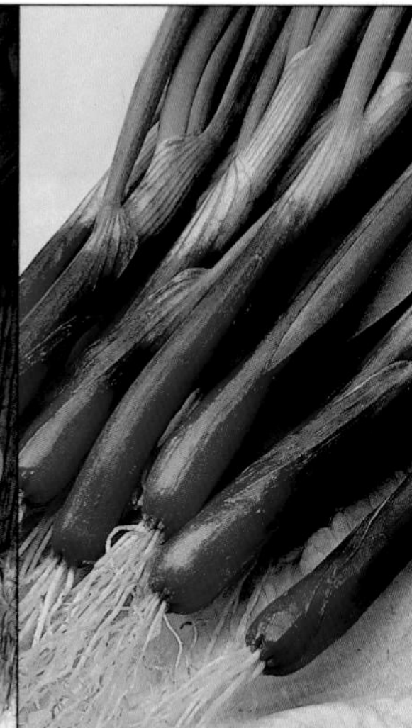

Cebollas escalonia Variedad rápida y sencilla de cultivar, ideal para cubrir espacios entre cultivos de crecimiento lento. Pruebe alguna de las variedades moradas poco habituales.

Legumbres

Este tipo de hortalizas requiere menos fertilizantes que otras plantas porque sus raíces alojan bacterias que toman el nitrógeno del aire y lo depositan en la tierra. Permita que las raíces ricas en nutrientes se diseminen en el suelo luego de la cosecha.

Arvejas dulces listas para cosechar.

Cómo cultivar

Ubicación y suelo Estas plantas trepadoras se desarrollan mejor a pleno sol en suelos fértiles y ligeramente alcalinos, mejorados con abundante de materia orgánica. Ya que son plantas propensas a sufrir pestes y enfermedades recurra a la rotación de cultivos (*véase págs. 38-39*). Las habas prefieren los suelos arcillosos, mientras que otras legumbres crecen mejor en suelos más livianos. Proteja estas plantas de los vientos fuertes.

Siembra y cultivo Todas las semillas de legumbres necesitan un suelo cálido para germinar, por lo tanto, espere hasta mediados de la primavera para sembrar en el exterior o cultive en interior debajo de campanas, o en macetas. La siembra sucesiva ayuda a garantizar una provisión constante de productos. Coloque soportes apropiados antes de sembrar o plantar para evitar que se dañen las plantas jóvenes.

Cuidado y posibles problemas Los porotos generalmente se cultivan sobre estructuras o hileras de cañas sujetas entre sí. Las arvejas trepan por los alambrados con soportes de cañas. Es posible que sea necesario guiar y atar estas plantas a soportes, mientras que las arvejas se sujetan mediante sus zarcillos. Mantenga las plantas libres de malezas y coloque mantillos. No es necesario regarlas antes de la floración, a menos que se estén marchitando. Riegue cuando comienzan a florecer para favorecer el desarrollo de las vainas. Para obtener plantas frondosas, corte las puntas cuando alcancen la parte superior de los soportes. Los roedores adoran las semillas de las legumbres; cuando esto represente un problema, no siembre en el exterior. Para proteger los cultivos de la polilla de la arveja, cúbralos con material aislante. También es común que la planta se infeste con pulgones.

Cosecha y almacenamiento Estas plantas alcanzan su punto de mayor sabor cuando se recogen pequeñas y frescas, por lo tanto, coseche frecuentemente. Esta práctica también favorece una mayor producción. La calidad comestible de estos vegetales se deteriora rápidamente, aún cuando los cultivos se mantienen refrigerados; entonces utilice inmediatamente o congele el excedente lo más rápido posible después de cosechar. Los porotos borlotti se pueden dejar madurar en la planta, secar y almacenar en un lugar fresco y oscuro.

Profundidad de siembra y distancia entre cultivos

CULTIVO	PROFUNDIDAD	DISTANCIA	
		Plantas	Hileras
Habas	8 cm	25 cm	30 cm
Chaucha enana	5 cm	10 cm	45 cm
trepadora	5 cm	15 cm	45 cm
Chauchas trepadoras	5 cm	15 cm	45 cm
Arvejas	4 cm	10 cm	45-60 cm

Consejos para cultivar

Cómo alejar a la mosca negra de las habas Las moscas negras adoran los brotes jóvenes y llenos de savia que crecen en las puntas de las habas. Para mantenerlas alejadas, cuando la planta esté llena de flores y se hayan formados las primeras vainas, corte las puntas.

Soportes para chauchas Las chauchas trepadoras se deben sujetar a cañas resistentes, idealmente de al menos 2,2 m de altura, para poder sostener su exuberante crecimiento. Las estructuras de seis u ocho cañas atadas en la parte superior son fáciles de construir.

Selección de cultivos

Arvejas llenas de color Con sus vainas y flores color violeta, las arvejas Ezethas Krombek Blauwschok aportan color a la huerta.

Habas Estas deliciosas legumbres, que rara vez se pueden encontrar frescas en los comercios, son fáciles de cultivar y se pueden sembrar en otoño para cosechar a fines de la primavera.

Chauchas Las variedades enanas de esta legumbre resistente son ideales para jardines pequeños. Crecen bien en macetas y producen gran cantidad de porotos de muy alta calidad.

Porotos borlotti Cultivados igual que las chauchas trepadoras, esta hermosa variedad de origen italiano produce vainas moteadas en color rosa. Coma los porotos frescos o secos.

Cucurbitáceas

Vigorosas y altamente rendidoras, estas plantas, entre las que se encuentran los zapallos, los zapallitos redondos y los pepinos, son muy atractivas para cultivar. Las variedades rastreras lucen hermosas cuando trepan desprolijamente sobre un cerco, lo que permite que sean opciones ideales para parcelas pequeñas.

Cómo cultivar

Ubicación y suelo Las plantas de la familia del zapallo provienen de climas calurosos y se desarrollan bien en suelos bien drenados mejorados con materia orgánica. Una vez que la planta se adapta al terreno, su crecimiento es rápido y extensivo, por lo tanto, prevea espacio suficiente. Los pepinos y los zapallitos redondos se desarrollan bien en macetas.

Sembrado y cultivo Estas tiernas plantas no toleran las heladas y no germinarán ni crecerán en climas fríos. Siembre las semillas en el interior, en recipientes biodegradables para evitar perturbar las raíces y plante los almácigos en el exterior cuando mejore el clima. Luego de las últimas heladas, recuerde aclimatar los almácigos antes de plantarlos. Si las noches son frescas, cubra las plantas con una campana.

Cuidado y posibles problemas Las cucurbitáceas requieren mucha agua. Es recomendable sujetar a soportes los pepinos cultivados en el exterior y en invernaderos, y las calabazas de verano e invierno: en el invernadero puede servir cualquier estructura de cañas, enrejados en abanico y alambres. Las cucurbitáceas son polinizadas por insectos (excepto los pepinos de invernadero que son hembra y no requieren polinización). Las flores hembra se pueden polinizar manualmente si fuera necesario. Es posible que la planta contraiga oídio y el virus del mosaico del pepino puede dar lugar a frutas deformes. Por lo tanto cultive variedades resistentes. En los cultivos de invernadero, la arañuela roja y la mosca blanca pueden generar problemas.

Cosecha y almacenamiento Deje los ancos, zapallos y calabazas en la planta hasta que tengan la piel dura y los tallos agrietados y más tiempo aún si piensa almacenarlos. Corte dejando un tallo largo y cure en una habitación cálida durante varios días antes de guardarlos en un lugar más fresco.

Profundidad de siembra y distancia entre cultivos

CULTIVO	PROFUNDIDAD	DISTANCIA
Zapallito redondo/ calabaza de verano	2,5 cm	90 cm-1,2 m
Pepinos	2,5 cm	75 cm
Zapallo/calabaza de invierno	2,5 cm	90 cm-1,8 m

Los zapallos no toleran las heladas y se deben cosechar antes de que baje demasiado la temperatura.

Consejos para cultivar

Flores macho y hembra Algunas cucurbitáceas pueden requerir polinización manual: las flores hembra poseen pequeños frutos en la parte posterior (*arriba*), mientras que las flores macho crecen sobre un tallo delgado. Retire las flores macho del pepino en el invernadero para evitar la polinización y no obtener frutos deformes y amargos.

Cómo guiar calabazas Levante del suelo las plantas de calabaza rastreras para que se vean más prolijas y así evitar que la fruta se pudra en un suelo húmedo y se transforme en alimento para las babosas. Clave cañas en el piso formando un ángulo, átelas juntas con un cordel fuerte y ajústelas a un cerco.

Selección de cultivos

Zapallito redondo Fácil de cultivar y muy productivo, generalmente se comporta como un arbusto más que como planta rastrera, y es ideal para jardines pequeños.

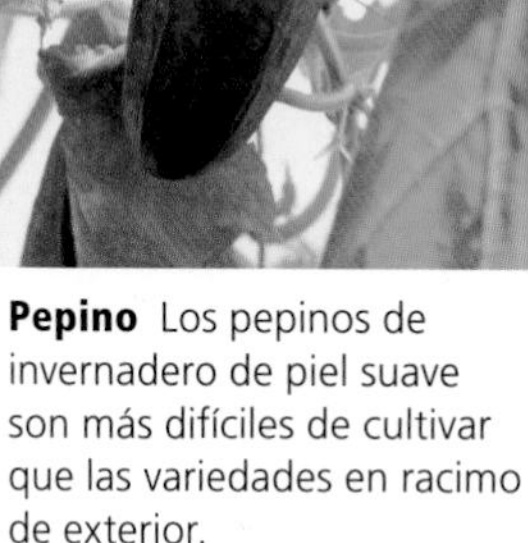

Pepino Los pepinos de invernadero de piel suave son más difíciles de cultivar que las variedades en racimo de exterior.

Calabaza de verano De forma extraña y piel suave, las calabazas tienen un sabor muy similar a los zapallitos redondos y se pueden preparar de la misma forma.

Zapallo Una recompensa que aparece en el jardín a fines del verano. Elija las variedades a cultivar por su sabor más que por su tamaño si son para cocinar.

Hortalizas con frutos

Estos cultivos amantes del sol son alternativas muy populares para recipientes ubicados en patios o para un cálido alféizar de ventana. Existen variedades adecuadas para cada tamaño de jardín y para todo tipo de clima, y si se eligen las opciones correctas, se pueden obtener deliciosos resultados a fines del verano.

Cómo cultivar

Ubicación y suelo Destine un lugar cálido y soleado, con suelo ligero, fértil y bien drenado para estos cultivos tiernos. Todos, excepto el choclo, florecen en recipientes, en invernaderos o contra una pared soleada. Caliente el suelo cubriendo la tierra con campanas o láminas plásticas antes de plantar.

Siembra y cultivo A comienzos de la primavera, siembre los cultivos bajo una cubierta, a 16° C o más. Para pocas cantidades, siembre las semillas en recipientes individuales de compost para usos múltiples y cubra con compost tamizado. Mantenga los almácigos en un lugar bien iluminado. Aclimate las plantas en un vivero o en el exterior cubiertas con aislante durante una semana antes de levantar los soportes y plantarlas en sus ubicaciones definitivas. Las macetas deben tener al menos 25 cm de diámetro y profundidad. Puede utilizar también bolsas de cultivo. El choclo se puede sembrar directamente en el exterior en áreas templadas desde mediados de la primavera.

Cuidado y posibles problemas Riegue abundantemente durante la floración y mientras se están desarrollando los frutos. Ate a soportes los tomates en racimos y corte los brotes laterales que aparecen donde las hojas se unen al tallo principal. Corte las puntas de las berenjenas y pimientos para favorecer un desarrollo compacto. Cuando comienzan a aparecer los frutos, aplique semanalmente un fertilizante líquido. Los áfidos, la araña roja y la mosca blanca son habituales en las plantas que se cultivan bajo una cubierta, al igual que la botritis (moho gris). Los tomates son propensos a contraer añublo, nemátodos del quiste de la papa y virus. El choclo es una de las plantas favoritas de varias plagas. Los ratones comen las semillas en la tierra y pájaros, ardillas y tejones pueden arruinar los cultivos.

Cosecha y almacenamiento Coseche las berenjenas mientras tienen la cáscara brillante. Antes de la primera helada, arranque de raíz los tomates y pimientos plantados en el exterior y cuélguelos en un invernadero para que maduren los últimos frutos. Cuando las flores hembra se vuelven color marrón, verifique que el choclo esté maduro pinchando uno de sus granos; el jugo blanco es signo de maduración.

Profundidad de siembra y distancia entre cultivos

CULTIVO	PROFUNDIDAD	DISTANCIA	
		Plantas	Hileras
Berenjenas	1 cm	45 cm	60 cm
Pimientos (dulces y picantes)	1 cm	45 cm	60 cm
Tomates, arbusto	2 cm	60 cm	60 cm
racimos	2 cm	45 cm	60 cm
Choclo	4 cm	45 cm	45 cm

Un racimo de tomates maduros para cosechar.

Consejos para cultivar

Riego de tomates La mejor forma de regar los tomates es introducir una maceta en la tierra cerca de cada planta de tomate o una botella plástica cortada a la mitad y con orificios en la base, y verter el agua dentro. Este método permite la llegada de humedad directamente a las raíces más profundas y reduce el porcentaje de evaporación.

Fertilización asistida de choclos Organice las plantas en bloques tupidos para tener una alta concentración de polen y así maximizar su aprovechamiento. Estas plantas dependen del viento para que disperse el polen que producen y al plantarlas de esta manera se favorece al máximo el cultivo.

Selección de cultivos

Choclo Estas plantas se ven majestuosas en los canteros y las mazorcas frescas, preparadas momentos después de cosecharlas, tienen un sabor fabuloso.

Pimiento dulce Fácil de cultivar, las variedades largas y de paredes delgadas de los pimientos para asar se ven preciosas en la planta y tienen muy buen sabor.

Berenjena Cuando se corta la planta para mantenerla tupida, esta planta es una opción muy atractiva para macetas de patio ubicadas en áreas cálidas.

Ají Fáciles de cultivar, estos frutos picantes sólo maduran correctamente bajo una cubierta. Pruebe colocándolos en el alféizar de una ventana y congele el excedente.

Hortalizas perennes y tallos comestibles

Estos vegetales, que generalmente resultan desconcertantes cuando se los compra en un comercio, son verdaderas delicias de alta calidad cuando se recogen frescos de la huerta. Son fáciles de cultivar y los tipos perennes también se adaptan a los jardines ornamentales. Los tallos comestibles como el apio y el apio nabo, no son perennes.

A comienzos de la primavera, aplique fertilizante a los espárragos.

Cómo cultivar

Ubicación y suelo Elija un lugar abierto y soleado, con suelo profundo y bien drenado e incorpore gran cantidad de materia orgánica antes de plantar. El apio sólo crece en suelos muy ricos y húmedos, por lo tanto, si el suelo no reúne estos requisitos, es preferible que cultive apio nabo.

Siembra y cultivo Los espárragos y los alcauciles son plantas difíciles de sembrar a partir de semillas, por lo que muchos jardineros comienzan en la primavera con macizos de espárragos y plantas jóvenes de alcauciles. Para plantar espárragos, cave un surco de 20 cm de profundidad, y en el fondo prepare una fila central con tierra, distribuya las raíces y cubra con tierra de manera que las puntas queden a la vista. Cubra con abono orgánico. Plante los alcauciles en hileras, con la roseta de hojas sobre el suelo. Simplemente entierre los tubérculos de topinambour en el suelo. Siembre semillas de apio y apio nabo en interior desde mediados de la primavera y antes de plantar comience a aclimatar la planta cuando tenga de cinco a seis hojas. Riegue generosamente. El apio es una alternativa sencilla para los principiantes.

Cuidado y posibles problemas Es posible que el topinambour necesite soporte. En climas secos, riegue y cubra los alcauciles con un mantillo. Cubra los canteros de espárragos con materia orgánica y aplique fertilizante a comienzos de la primavera y luego de la cosecha. Corte los brotes que se vuelven amarillentos en el otoño. Riegue semanalmente el apio y el apio nabo, y cubra con paja o compost. Los alcauciles pueden sufrir plagas como el áfido del poroto negro, y los topinambour se pueden extender de manera invasiva, por lo tanto, mantenga estas plantas bajo control. En los climas muy húmedos, todos los cultivos pueden sufrir putrefacción ocasionada por hongos.

Cosecha y almacenamiento Coseche todas las plantas de apio antes de la primera helada. El apio nabo es resistente y es preferible dejarlo en la tierra. Corte los tallos de los espárragos unos 5 cm por debajo de la superficie del suelo cuando midan unos 15 cm. Corte las cabezas de los alcauciles cuando aún están firmes. Desentierre los topinambour a medida que los necesite.

Profundidad de siembra y distancia entre cultivos

CULTIVO	PROFUNDIDAD	DISTANCIA	
		Plantas	Hileras
Apio	En superficie	25 cm	25 cm
Apio nabo	En superficie	30 cm	30 cm
Espárragos	2,5 cm	25 cm	30 cm
Alcaucil	n/a	75 cm	90 cm
Topinambour	10 cm	30 cm	30 cm

Consejos para cultivar

Cómo aporcar apio El apio es un cultivo tradicional de jardín (*véase izquierda*). Los tallos se blanquean al cubrirlos con tierra para impedir el contacto con la luz, lo que se conoce como "aporcar". Cuando la planta tiene 30 cm de altura, ate los tallos y prepare una pila de tierra a su alrededor hasta la mitad de la planta. Repita este procedimiento cada tres semanas hasta que asomen los extremos a fines del otoño.

Protección de los alcauciles Los alcauciles, particularmente las plantas jóvenes y aquellas que crecen en zonas frías, pueden dañarse con las heladas, por lo tanto, protéjalas durante el invierno colocando montículos de tierra alrededor de las plantas y cubriéndolas con mantillos de paja de 15 cm de espesor o con una capa doble de material aislante para horticultura.

Cosecha de espárragos La paciencia es una virtud necesaria cuando se prepara un cantero de espárragos. Evite cosechar los tallos durante los primeros dos años luego de plantarlos, para permitir que las plantas reúnan la fuerza necesaria para los años siguientes. Coseche durante seis semanas a fines de la primavera del tercer año y durante ocho semanas los años siguientes.

Selección de cultivos

Apio Se recomienda cultivar las plantas de apio bastante juntas entre sí en bloques ajustados o en viveros para que produzcan tallos tiernos y pálidos.

Apio nabo Este vegetal con estructura nudosa, es mucho más sabroso de lo que sugiere su aspecto y resulta delicioso cuando se prepara asado, en puré o en sopas.

Alcaucil Planta alta y decorativa, fácil de cultivar y con follaje en tonos plateados. Los capullos en flor maduros son exquisitos.

Topinambour Los tubérculos generalmente se cocinan, pero se pueden comer crudos. Son plantas altas y funcionan bien como barrera contra el viento.

Verduras de hoja y hierbas

Siempre hay espacio para una pequeña maceta con hierbas o un cantero con hojas para ensalada de plantas de regeneración rápida. Son tan fáciles de cultivar que se preguntará cómo hacía antes cuando no contaba con todos esos sabores frescos al alcance de su mano.

Cómo cultivar

Ubicación y suelo Los cultivos de hojas para ensalada, la acelga y muchas hierbas toleran la mayoría de los tipos de suelo, excepto los suelos anegados o inundados, y no exigen mucha preparación de la tierra. Sin embargo, la espinaca y las verduras orientales necesitan un suelo rico, fértil y no ácido. Todos se desarrollan bien en recipientes y a pleno sol, pero la lechuga necesita sombra en los momentos de mayor temperatura durante el verano.

Siembra y cultivo Los vegetales de hoja para ensalada germinan rápidamente en condiciones cálidas, pero se deben evitar las temperaturas extremas. Siembre en módulos cubiertos desde comienzos de la primavera. Plante espinaca, acelga y pak choi en un lugar a la sombra. La siembra sucesiva de pequeñas cantidades de semillas garantiza una provisión continua de vegetales de hoja. Plante almácigos cuando sus raíces hayan llenado el recipiente y riegue abundantemente; acomódelos en el espacio que corresponde. Las hierbas tiernas, como la albahaca, se cultivan a partir de semillas; las hierbas más resistentes, se compran en almácigos. Siembre y cubra las semillas a comienzos de la primavera; plántelas luego de la primera helada.

Cuidado y posibles problemas Mantenga estas hortalizas libres de malezas y no permita que se sequen para evitar la floración prematura. Proteja de las heladas los cultivos tempranos o tardíos con campanas o material aislante. Pode las hierbas periódicamente para mantener las plantas prolijas y productivas. Riegue frecuentemente aquellas que estén en macetas. Las babosas y los caracoles, al igual que la hernia del repollo y las orugas en las crucíferas, son la principal fuente de problemas. Las lechugas tienden a sufrir putrefacción originada por hongos en climas húmedos. El mildiu puede arruinar los cultivos de espinaca.

Cosecha y almacenamiento Se recomienda comer frescas las verduras de hoja. Corte las lechugas y el pak choi por la base. Coseche las lechugas, las espinacas y las acelgas a medida que las consuma. Utilice hierbas frescas, séquelas o congélelas.

Profundidad de siembra y distancia entre cultivos

CULTIVO	PROFUNDIDAD	DISTANCIA	
		Plantas	Hileras
Lechuga	1 cm	15-30 cm	15-30 cm
Mizuna/ mibuna	1 cm	10-15 cm	15 cm
Rúcula	1 cm	15 cm	15 cm
Espinaca	2,5 cm	8-15 cm	30 cm
Acelga	2,5 cm	20 cm	45 cm
Albahaca	0,5 cm	20 cm	20 cm
Perejil	0,5 cm	20 cm	30 cm
Cilantro	0,5 cm	20 cm	30 cm

Lechuga de hojas moradas Great Dixter llena de color.

Consejos para cultivar

Cómo evitar la floración prematura en lechugas y espinacas En climas calurosos y en suelos secos, la lechuga y la espinaca, al igual que muchos otros cultivos de hoja, suelen padecer floración prematura. Este proceso tiene lugar cuando las plantas se deterioran y las hojas se vuelven amargas (*véase a la izquierda*). Evite este problema, manteniendo la humedad del suelo mediante el riego periódico y plante cultivos de verano en lugares ligeramente en sombra en lugar de que reciban pleno sol.

Cómo atenuar el crecimiento de la menta Con sus rizomas subterráneos, la menta se puede convertir en una molestia muy invasiva en el jardín, por lo tanto, se recomienda cultivar esta planta en un recipiente o al menos en una maceta enterrada en el suelo. La última opción ayudará a evitar que se extienda demasiado, pero no podrá contener la planta para siempre.

Multiplicación de hierbas perennes Renueve el vigor de las antiguas hierbas leñosas perennes extrayéndolas de la tierra a fines del verano y dividiendo las plantas. Utilizando tijeras de podar, corte las plantas en partes pequeñas con muchas raíces y hojas saludables que después pueda volver a plantar. Este método es particularmente recomendable para el tomillo, el cebollín y el orégano, pero no se aconseja dividir hierbas tupidas como la salvia y el romero.

Selección de cultivos

Espinaca Una planta muy nutritiva y fácil de cultivar. Coseche las hojas tiernas para ensaladas y las hojas maduras para preparar al vapor.

Acelga Esta llamativa planta se cultiva por el color de sus tallos, que son muy atractivos en la cocina y se puede preparar al vapor o comer fresca.

Mastranzo Planta de textura afelpada, de sabor suave y dulce, es el mejor tipo de menta para condimentar vegetales.

Salvia púrpura Esta planta tupida, con un tinte color púrpura, es tan atractiva que generalmente se planta en canteros. Además, tiene muy buen sabor.

Cómo cultivar verduras y hortalizas para todo el año

No es difícil lograr un resultado exitoso en el cuidado de una huerta, especialmente si domina las técnicas básicas que se describen en este capítulo. Estas herramientas le permitirán garantizar un buen comienzo para sus cultivos y mantener plantas sanas y productivas. También encontrará consejos sobre cómo aprovechar al máximo los espacios pequeños mediante combinaciones de vegetales de crecimiento lento y rápido, y recomendaciones sobre siembra y almacenamiento.

Cómo sembrar semillas de remolacha en exterior

Cuando cultive en exterior, la tierra debe estar lo suficientemente cálida en primavera para que las semillas germinen (espere a que broten las primeras semillas de malezas si no está seguro). Para sembrar, elija un día de clima seco en que el suelo esté húmedo, para rastrillarlo hasta lograr que la tierra se desmigaje y así obtener una textura fina.

Consejo práctico

Para facilitar el proceso de siembra, compre semillas que estén sujetas en distintos puntos a una cinta biodegradable que simplemente se puede colocar en el orificio.

1 Para lograr una hilera derecha, coloque una línea de cuerda ajustada a lo largo del surco de las semillas y realice un agujero en forma de V, arrastrando la esquina de una azada por la cuerda. La profundidad para semillas de remolacha es de unos 2,5 cm (varía según el cultivo).

2 Coloque las semillas en la palma de su mano y siémbrelas de a una por vez a lo largo de la hilera a una distancia de 5 cm. (La distancia varía según el cultivo en función del tamaño. Las semillas pequeñas se deben sembrar de la forma más pareja posible).

3 Apenas termine de sembrar, con la parte posterior de un rastrillo empuje suavemente la tierra sobre el orificio. Marque la hilera con una etiqueta de jardinería para recordar qué sembró en cada lugar sin estropear las semillas en germinación.

4 Mantenga las hileras libres de malezas. Para retirar los almácigos sobrantes, extráigalos con sus raíces o córtelos al ras del suelo cuando alcancen un tamaño suficiente. Así garantizará que el resto de las plantas tengan espacio para crecer.

Cómo sembrar semillas de repollo morado para trasplantar

Sembrar las semillas bajo una cubierta es la mejor manera de beneficiar a las plantas. Una vez que haya pasado la época de heladas, se podrán plantar. Si no cuenta con un invernadero calefaccionado, simplemente coloque las bandejas de semillas cerca de una ventana para que reciban algo de calor.

1 Rellene una bandeja de semillas con compost y suavemente presione con otra bandeja para eliminar las burbujas de aire. Usando una regadera con una roseta fina, riegue ligeramente el compost y deje drenar antes de sembrar.

2 Distribuya las semillas de manera pareja sobre la superficie del compost humedecido. Para hacerlo, espárzalas desde el paquete o al voleo. Siembre las semillas en pocas cantidades para evitar que se amontonen cuando hayan germinado.

3 Utilice un tamiz de jardinería para cubrir las semillas con una capa delgada de compost de buena calidad y sin grumos. Luego, usando la palma de su mano, presione suavemente el compost sobre las semillas.

4 Riegue ligeramente el compost usando una regadera con roseta fina o coloque la bandeja en agua hasta que se oscurezca la superficie y luego deje drenar. Coloque una etiqueta en la bandeja para llevar un registro de lo que haya sembrado.

Cómo sembrar semillas de repollo morado para trasplantar *(cont.)*

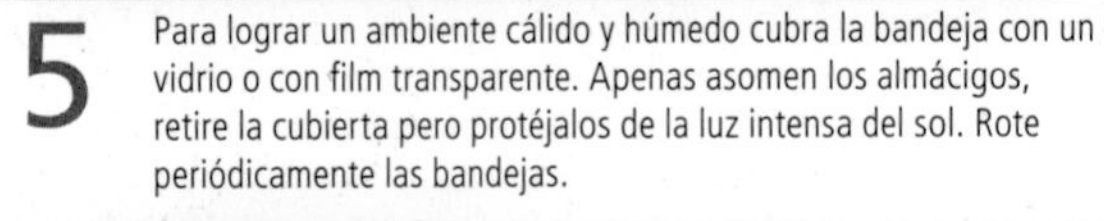

5 Para lograr un ambiente cálido y húmedo cubra la bandeja con un vidrio o con film transparente. Apenas asomen los almácigos, retire la cubierta pero protéjalos de la luz intensa del sol. Rote periódicamente las bandejas.

6 Cuando las primeras hojas de las semillas estén completamente desarrolladas, perfore los almácigos. Rellene una bandeja con compost humedecido. Riegue los almácigos y, sosteniéndolos de una de sus hojas, retire el compost con una pala y separe las raíces.

7 Realice un orificio y coloque cuidadosamente los almácigos usando una pala chica para presionar el compost alrededor de las raíces. Riéguelos e identifique la bandeja con una etiqueta. Cultive los almácigos hasta que hayan llenado los recipientes nuevos.

8 Cuando el clima esté más cálido, coloque las plantas jóvenes en el exterior en un invernadero. Para darles la posibilidad de aclimatarse, aumente gradualmente la ventilación durante dos semanas hasta quitar la cubierta.

9 Plante los cultivos aclimatados en sus ubicaciones definitivas en un suelo previamente preparado. Los repollos morados deben tener una separación de 30 cm entre sí y 45 cm de distancia entre las hileras. Si las palomas generan problemas, proteja las plantas con una red.

Cómo cultivar zapallitos redondos a partir de almácigos

Si no cuenta con mucho espacio ni mucho tiempo para cultivar hortalizas a partir de semillas, compre plantas en almácigos. Son más costosas que las semillas y las variedades que existen son limitadas, pero es una forma sencilla de comenzar.

1 Compre plantas compactas y verdes con raíces saludables. Riegue generosamente y plante inmediatamente en macetas para evitar interrumpir el crecimiento. Recuerde que los zapallitos redondos y otras plantas resistentes se deben comprar antes de la época de heladas.

2 Con cuidado, retire cada almácigo de su envoltura y, sosteniendo la planta de la esfera de raíces (no por las hojas ya que son delicadas), plante en un suelo previamente preparado de manera que la parte superior de la raíz quede justo por debajo del nivel del suelo.

3 Suavemente, presione la tierra alrededor de cada planta para que quede estable y riegue bien para ayudar a asentar. Agregue un mantillo de material orgánico (pero sin tocar el tallo) para retener la humedad de la tierra y evitar la formación de malezas.

4 Coloque una etiqueta y, a medida que vayan creciendo, agregue soportes cuando sea necesario. Generalmente se utilizan campanas para proteger a las plantas jóvenes del viento y el frío. Riegue las plantas periódicamente hasta que se asienten.

Cómo cultivar las primeras papas de la temporada

Las papas son muy fáciles de cultivar y generalmente están listas para cosechar luego de que florecen. Al cabo de 10-12 semanas, retire algo de tierra para verificar que los tubérculos estén listos y levante las raíces cuidadosamente con un rastrillo.

Consejo práctico

Las papas crecen bien en macetas grandes. Plante tubérculos con brotes en una maceta llena hasta la mitad de compost. Cuando salgan los brotes, agregue compost hasta completar.

1 A fines del invierno, coloque las semillas en cajas de huevos o bandejas con la mayor cantidad posible de yemas (ojos) hacia arriba. Ubíquelas en un lugar de interior fresco e iluminado durante unas seis semanas para que crezcan brotes fuertes y oscuros.

2 A comienzos de la primavera, cuando los brotes tengan unos 2,5 cm de longitud, haga un surco en la tierra preparada. Realice orificios de 10 cm de profundidad a una distancia de 30 cm y plante un solo tubérculo en cada uno, con los brotes hacia arriba.

3 Rellene cada orificio con tierra, rastrille sobre la hilera y marque la ubicación. En este punto, también se puede aplicar un fertilizante genérico a cada lado de la hilera, o bien se puede incorporar a la tierra antes de plantar.

4 Los tubérculos expuestos a la luz se pondrán de color verde, lo que los vuelve tóxicos y no aptos para el consumo. Para evitarlo, se deben aporcar las plantas a medida que emergen colocando montículos de tierra alrededor de sus tallos a una altura de 15 cm.

Cómo cultivar chauchas

Las chauchas se desarrollan mejor en un suelo rico y fértil, por lo tanto, prepare el lugar e incorpore gran cantidad de materia orgánica al menos dos semanas antes de plantar. Plante flores perfumadas como las arvejillas, cerca de estos cultivos para atraer a los insectos al jardín y favorecer la polinización.

1 El soporte es esencial para estas plantas trepadoras. Construya una estructura con ocho cañas, de al menos 2,2 m de largo, clavadas firmemente al suelo a unos 30 cm de distancia. Ate las cañas de forma ajustada en la parte superior y nuevamente a la mitad.

2 A fines de la primavera, cuando el suelo esté a una temperatura de al menos 12°C, plante dos semillas a una profundidad de 5 cm al lado de cada caña y riegue. En áreas frías o en suelos muy densos, siembre en interior, en macetas profundas a mediados de la primavera.

3 Luego de la germinación, retire los almácigos más débiles. Rote la otra planta alrededor de la caña y átela con un cordel. Una planta próxima de arvejilla atraerá insectos a las flores de las chauchas, lo que contribuirá a un buen desarrollo.

4 Es importante cosechar las chauchas periódicamente (al menos dos veces a la semana) cuando las plantas son jóvenes y fuertes, ya que las vainas excesivamente maduras son menos sabrosas y se inhibe la formación de flores nuevas.

Cómo plantar tomates en una bolsa de cultivo

Las bolsas de cultivo se secan rápidamente, pero es posible aumentar el volumen de compost y reducir la necesidad de agua si utiliza macetas con extremos abiertos colocadas dentro de orificios perforados en la bolsa, como en la fotografía.

Consejo práctico

Otros cultivos de verano como la lechuga, también se pueden cultivar en bolsas, y toma tan sólo 8-12 semanas pasar de la etapa de sembrado a la de cultivo.

1 Con un cuchillo, realice tres cortes sobre la bolsa y haga perforaciones para drenaje en la base. Si utiliza macetas sin fondo (compre macetas ya hechas o prepárelas usted mismo), colóquelas dentro de las aberturas y rellene con compost.

2 Cuando las plantas estén aclimatadas y las primeras flores estén a punto de abrirse, plante dentro de las bolsas o macetas con la parte superior del cepellón justo por debajo de la superficie de compost. Presione alrededor de las raíces y riegue abundantemente.

3 Agregue cañas o alambres resistentes para soporte. No corte todos los brotes laterales de crecimiento rápido ubicados entre hojas y tallos, ya que se perderá energía necesaria para la producción de frutos.

4 Ate los tallos principales con un cordel a medida que crezcan. Para evitar que la planta siga adquiriendo altura, retire la punta, dos hojas más allá del quinto o sexto racimo de tomates para la energía de la planta en los últimos frutos de la temporada.

Cómo cultivar acelga en una maceta

Las hojas verde brillante y los tallos encerados de una acelga Bright Lights plantada en una gran maceta aportarán color a su patio. Coseche las hojas tiernas para ensaladas o déjelas madurar para preparar al vapor y hacer frituras ligeras.

Consejo práctico

Pruebe distintos diseños en la maceta mientras las plantas aún están en sus propios recipientes para lograr la mejor combinación de colores.

1 Coloque la maceta vacía en un lugar soleado y protegido. Asegúrese de que la maceta tenga orificios para drenaje, cubra la base con una capa de grava y agregue compost de usos múltiples aproximadamente a 2,5 cm del borde del recipiente.

2 Riegue las plantas de acelga y retírelas con mucho cuidado de las macetas sosteniéndolas de las raíces y no de las hojas. Suavemente, separe las raíces para ayudarlas a adaptarse rápidamente y ubíquelas a una distancia de aproximadamente 10 cm entre sí.

3 Coloque las plantas a la distancia correcta en agujeros hechos en el compost. Controle que la parte superior de la raíz quede justo por debajo del nivel del suelo. Suavemente, presione el compost alrededor de cada planta y riegue abundantemente la maceta.

4 Riegue periódicamente la planta para mantener las hojas en buenas condiciones, especialmente durante las épocas más calurosas del verano. También puede aplicar nutrientes con alto contenido de nitrógeno para lograr un desarrollo vigoroso y saludable.

Cómo germinar semillas

Existen muchos tipos de legumbres y semillas para germinar, que ofrecen una gran variedad de sabores y texturas muy interesantes. Todas las semillas para germinación se pueden cultivar en recipientes o germinadores divididos en capas, lo que permite cultivar varias a la vez.

1 Limpie cuidadosamente el recipiente antes de cada uso. Vierta las semillas en un recipiente para geminación (con una tapa mallada para facilitar el drenaje), agregue agua fría y deje las semillas en remojo por 8-12 horas. No llene excesivamente el recipiente.

2 Una vez remojadas, vierta el agua en la pileta del lavaplatos. Enjuague las semillas con agua fría y drene nuevamente para que no queden flotando en el agua. Evite el contacto directo con la luz del sol y coloque en un lugar bien ventilado.

3 Enjuague y drene las semillas con agua fría dos veces al día para mantenerlas limpias y húmedas. Las semillas de alfalfa germinan en sólo dos días. Luego están listos para comer. Pruebe los brotes a medida que crecen hasta encontrar el punto que más le guste.

4 Enjuague por última vez, drene y deje reposar durante 8 horas para permitir la evaporación del exceso de agua. Luego se pueden guardar en la heladera hasta 5 días. Deseche los brotes si se formara moho.

Siembra intercalada de lechuga y choclo

Plantar de manera conjunta cultivos de crecimiento lento y maduración rápida es un método efectivo para aprovechar al máximo los espacios pequeños. Las lechugas se pueden cultivar entre plantas de choclo y cosechar antes de que maduren las mazorcas.

1 Mida y diseñe una grilla con cuadrados de 45 cm. Utilice cañas de bambú para marcar las líneas en la tierra. Esta disposición en bloque también es ideal para maximizar la polinización del choclo que se realiza por medio del viento.

2 Trasplante una planta de choclo joven en la esquina de cada cuadrado. Presione la tierra alrededor de la base de cada planta. (El choclo es una planta tierna, por lo tanto, puede ser necesario cultivarlo bajo techo, véase págs. 60-63.)

3 Mezcle las semillas de lechuga con arena fina y distribuya una capa delgada entre las plantas de choclo. Rastrille con cuidado. La lechuga madurará en 8-12 semanas y llenará los espacios que queden entre las plantas de choclo.

4 Acomode los almácigos de lechuga y coloque entre 3 y 4 plantas por cuadrado. El choclo tarda al menos 16 semanas en producir mazorcas maduras, pero la lechuga se puede cosechar mucho antes de que el choclo comience a dar mucha sombra sobre la planta.

Cómo cultivar una huerta de hierbas aromáticas

Este diseño con hierbas se puede preparar en tan sólo un día y madura en una temporada. En este ejemplo se usaron ladrillos para marcar los bordes de los canteros y dividirlos en cuartos. En el centro, se colocó una planta de laurel en una maceta.

1 Trace una cruz con estacas y cuerda. Siguiendo las líneas de las cuerdas, haga surcos anchos y poco profundos, de manera de dejar espacio para que los ladrillos se asienten. Utilice el mango de un martillo para afirmar los ladrillos.

2 Complete el último cuadrante y disponga los ladrillos, presionándolos con firmeza contra la tierra. Si desea colocar una planta en el centro del diseño, deje espacio suficiente.

3 Acomode las plantas en sus macetas originales antes de plantarlas, y así ajustar las distancias si fuera necesario. Riegue abundantemente antes de extraerlas de la maceta. Realice agujeros e introduzca las plantas. Riegue abundantemente.

4 Complete el diseño con una planta central. En este ejemplo se usó un laurel, que se puede podar para lograr la forma deseada. Riegue periódicamente todas las plantas hasta que estén completamente asentadas, especialmente en climas calurosos y secos.

Cómo cultivar hierbas aromáticas en macetas pintadas

Las macetas son ideales para cultivar hierbas, crecen en espacios pequeños y se pueden podar según el tamaño deseado. Para lograr un hermoso resultado final, pinte las macetas comunes de arcilla con colores complementarios y agregue mantillos de pizarra.

1 Lije y limpie la superficie de una maceta de arcilla de 1 litro. Pinte las macetas con una pintura mate o con esmalte para exteriores, según el efecto que quiera lograr.

2 Desgrane el empaque de poliestireno en el que se venden las plantas para canteros y forme un colchón en el fondo de la maceta. Éste es un material liviano que se rompe fácilmente y que se puede utilizar en lugar de barro. Agregue compost con base de tierra vegetal.

3 Ubique la planta sin sacarla de la maceta para verificar que se plantará a la misma profundidad que en el recipiente original, riegue abundantemente y luego extráigala de la maceta. Si estuviera aferrada por las raíces, sepárelas para favorecer su adaptación.

4 Coloque las hierbas en la maceta. Rellene con compost alrededor de la planta y presione. Riegue abundantemente y cubra la superficie del compost con trozos pequeños de pizarra . Este material conserva bien el agua y funciona como elemento decorativo.

Cómo construir un cantero

Los canteros permiten aprovechar bien el espacio y son alternativas prácticas para cultivar. En primavera, la tierra drena bien y se calienta rápido y es posible trabajarla desde el sendero para evitar que el suelo se compacte.

Consejo práctico

Para asegurarse de que el suelo esté nivelado, estire una cuerda a lo largo del cantero. Los ladrillos la mantendrán tirante.

1 Establezca el tamaño del cantero. El ancho ideal es 1,2 m para facilitar el trabajo desde el sendero, pero los canteros pueden tener cualquier longitud. Corte cuatro vigas del largo deseado para los bordes y clave estacas de madera a unos 10 cm de los extremos.

2 Disponga las vigas en sus ubicaciones definitivas y coloque las estacas de madera en el suelo. Verifique que las vigas estén derechas con un nivelador y realice los ajustes necesarios presionando el extremo más elevado con un mazo.

3 Coloque un trozo de madera en diagonal entre dos vigas dispuestas en los bordes y con un nivelador haga los ajustes necesarios. Antes de construir otro cantero, asegúrese de dejar espacio suficiente para poder acceder fácilmente.

4 Rellene el cantero con tierra de buena calidad mejorada con materia orgánica, como compost de jardinería o abono en descomposición. Esparza la tierra de manera pareja y nivele con un rastrillo. Cubra a medida que la tierra se asiente.

Cosecha y almacenamiento

Cosechar productos frescos siempre es gratificante y el sabor de los vegetales cultivados en una huerta propia es incomparable. Sin embargo, es importante cosechar los cultivos correctamente para evitar que se dañen. De esta manera se minimiza el desperdicio y se mantiene la productividad.

Productos frescos Muchos cultivos alcanzan su punto máximo de sabor cuando son pequeños y tiernos y se comen recién cosechados. Es una buena idea recorrer el jardín todos los días en el verano y cosechar lo que se ve atractivo, para así evitar que crezcan calabazas gigantes, porotos fibrosos y lechugas florecidas de manera prematura.

Cómo cosechar remolachas Coseche las remolachas a medida que las necesite una vez que hayan alcanzado unos 5 cm de diámetro. Simplemente sostenga con firmeza los tallos y tire de la raíz para arrancar la remolacha del suelo. Saque una raíz por medio en una hilera para dejar más espacio a las restantes.

Cómo cortar espárragos Corte los tallos tiernos 2,5 cm por debajo del nivel del suelo cada 2-5 días durante un período de 8 semanas a mediados de la primavera. Los cuchillos curvos y dentados para espárragos están especialmente diseñados para realizar esta tarea.

Cosecha de papas Una vez que las plantas hayan florecido, mueva suavemente la tierra, revuelva con un rastrillo de mano y saque las papas. Desentierre aproximadamente unos 30 cm desde el tallo para evitar dañar los tubérculos.

Cosecha de choclos Verifique que las mazorcas estén maduras apenas las borlas se vuelvan color marrón: corra las hojas protectoras y cuando estén listas, la savia que brotará de los granos cortados tendrá un aspecto lechoso. Luego sostenga firmemente el tallo y rote la mazorca hasta soltarla.

Cosecha y almacenamiento *(continuación)*

Secado y curado

Muchos cultivos sólo se pueden almacenar correctamente si se han dejado madurar por completo y luego secar en un lugar cálido y bien ventilado. Esto es particularmente importante para las cebollas, los chalotes, los ajos, los porotos, los zapallos y las calabazas de invierno. A continuación, se describen algunos métodos simples. Aplíquelos cuidadosamente para evitar que los cultivos almacenados se pudran o se arruinen.

Cómo curar zapallos y calabazas Deje los frutos en la planta hasta que se llenen completamente de color y produzcan un ruido hueco al golpearlos. Córtelos con un cuchillo afilado dejando un tallo lo más largo posible. Luego deje que se endurezca la piel, o cúrelos al sol, en un invernadero o en una habitación cálida durante varios días. Los zapallos se deben guardar hasta la primavera en una habitación fresca y ligeramente húmeda en la que también pueden servir como decoración.

Cómo secar cebollas y porotos Deje marchitar naturalmente el follaje de cebollas, chalotes y ajos antes de levantarlos con un rastrillo y dejarlos secar al sol sobre un alambrado. Una vez que se sequen los bulbos, retire con un cepillo la cáscara suelta y la tierra y cuélguelos en racimos o redes en un lugar fresco y luminoso. Para almacenar porotos, se deben dejar madurar en la planta y cosechar antes de que se abran las vainas. Coloque las vainas sobre un alambrado y déjelas secar en un lugar fresco. Luego puede pelarlas. Deje secar los porotos nuevamente antes de colocarlos en el recipiente y almacenar en un lugar fresco y oscuro.

Los zapallos y las calabazas son cultivos útiles y decorativos.

Coloque los porotos borlotti sobre una malla de alambre para secarlos al sol.

Coseche los chalotes y déjelos secar al sol sobre un alambrado.

Cómo almacenar papas

La cosecha de la papa se debe realizar en un día de clima seco. Déjelas secar en el suelo durante unas horas y luego seleccione los tubérculos que no estén dañados para almacenar. En general, la forma más práctica de guardar este tipo de vegetales es dentro de una bolsa de papel doble, colocada en un lugar fresco y seco como un garaje o un depósito. Las papas se deben mantener en un lugar oscuro para evitar que se pongan verdes, por lo tanto, cierre bien la bolsa. También puede usar cajones de madera, pero no se recomienda usar recipientes plásticos porque retienen la humedad y favorecen la putrefacción de los tubérculos.

Las papas se pueden guardar en un lugar fresco y seco mientras se mantengan a oscuras.

Cómo almacenar hortalizas

La mayoría de las hortalizas, excepto los nabos y la remolacha, se pueden dejar en la tierra hasta que se necesiten, aun durante el invierno. No obstante, una vez cosechadas, se deben guardar en un lugar fresco y seco. Acomode hortalizas sanas en una caja de madera no muy profunda de manera que no se toquen entre sí y cubra con arena húmeda. Las hortalizas también se pueden almacenar contra una pared. Se deben apilar sobre una capa de arena, cubrir con paja y luego con tierra. De esta manera se las protege de las heladas. Sin embargo, los roedores pueden provocar problemas.

Las chirivías se pueden guardar en arena húmeda.

El ensilado protege de las heladas a los cultivos de nabo sueco.

Cómo congelar y conservar

Una de las mejores maneras de aprovechar una producción abundante de hortalizas es congelar. Este también puede ser un método útil para almacenar hierbas estivales para el invierno. El hinojo, la albahaca y el perejil se pueden congelar perfectamente una vez lavados y colocados en bolsas etiquetadas. Las hierbas picadas también se pueden congelar con un poco de agua, dentro de cubeteras. Otra alternativa es colocar un puñado de hierbas y quizás un ají dentro de una botella de aceite de oliva, para otorgarle frescos sabores estivales.

Las hierbas se pueden congelar perfectamente.

Las hierbas y ajíes aportan sabores al aceite de oliva.

Consejos prácticos

Las hortalizas se pueden cultivar de muchísimas formas muy creativas. Las ideas que aquí se incluyen muestran cómo aprovechar al máximo recipientes, espacios verticales y jardines ornamentales. Prácticamente todas las propuestas son muy fáciles de implementar y requieren poco espacio, como por ejemplo, un patio o un jardín. Los símbolos indican las condiciones de crecimiento favorables para cada variedad.

Significado de los símbolos

🏆 Plantas destacadas por su versatilidad y belleza

Tipo de suelo

💧 Suelo con óptimo drenaje

💧 Suelo húmedo

💧 Suelo pantanoso

Preferencia de sol o sombra

☀ Pleno sol

☀ Media sombra

☀ Plena sombra

Nivel de resistencia

*** Plantas muy resistentes

** Plantas que toleran permanecer a la intemperie en regiones templadas o que deben permanecer en lugares protegidos

* Plantas que necesitan protección contra las heladas invernales

❄ Plantas frágiles que no soportan las heladas

Jardines verticales de hortalizas

El espacio vertical habitualmente no se utiliza al máximo, pero resulta muy útil en jardines pequeños, ya que permite contar con más lugar para cultivar distintos vegetales. Colgar macetas con hierbas y variedades de hortalizas tipo arbusto en un tejido metálico, puede convertir una pared vacía y soleada en una explosión de color. Además, estas plantas son muy simples de cuidar y fáciles de cosechar. Vigorosas plantas de porotos trepadores, calabazas y capuchinas se pueden plantar en recipientes grandes en la base de la pared y guiar fácilmente para que trepen por el tejido y así lograr un espectáculo fabuloso y exuberante.

Berenjena Mohican

Albahaca Sweet Genovase, Red Rubin

Características de jardín

Tamaño 1,8 x 2,2 m
Ideal para Cualquier lugar soleado con una pared o cerco
Suelo Compost ligero para usos múltiples
Ubicación Pared que reciba pleno sol

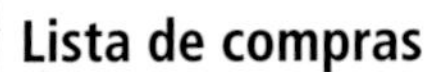

Lista de compras

- 2 x berenjena Mohican
- 3 x albahaca Sweet Genovase
- 3 x albahaca Red Rubin
- 3 x tomate Tumbling Tom Red
- 1 x pepino Masterpiece
- 1 x zapallito redondo Tromboncino
- 3 x chaucha Wisley Magic

Tomate Tumbling Tom Red

Pepino Masterpiece

Plantación y mantenimiento

Ajuste los soportes de madera a la pared y sujételos a un tejido de alambre resistente. Realice unos agujeros a los costados de las macetas de plástico y canteros de ventana y pase un alambre galvanizado entre los agujeros antes de plantar. Finalizada la época de heladas, llene las macetas con compost liviano y plante los cultivos previamente aclimatados. Sujete las macetas al tejido de alambre y coloque las más grandes en la base de la pared. Deje espacio para que se desarrollen y guíe los cultivos trepadores sobre el tejido. Riegue las plantas con frecuencia ya que se secarán rápido al tener tanta exposición. Ate las plantas trepadoras a medida que crezcan y coseche periódicamente para favorecer el desarrollo de más productos.

Zapallito redondo Tromboncino

Chaucha Wisley Magic

Canasto colgante de hierbas y hortalizas

Cultivar sus propias hortalizas es tan práctico como encontrar jugosos tomates cherry y hierbas perfumadas justo del otro lado de la puerta del jardín. Los canastos colgantes generalmente se asocian con las plantas de cantero, pero en lugar de eso, ¿por qué no plantar una combinación de racimos de tomates cherry, vibrantes capuchinas y hierbas deliciosas? Si se les incorporan los nutrientes necesarios y se riegan suficientemente, estas plantas se verán fantásticas durante una larga temporada y además le brindarán productos frescos y sabrosos para cocinar.

Características de las macetas

Tamaño Canasto de 25 cm de diámetro como mínimo

Ideal para Un rincón cerca de la cocina

Suelo Compost para usos múltiples

Ubicación Pared que reciba pleno sol, protegida de los vientos fuertes

Lista de compras

- 1 x menta Chocolate
- 1 x perejil Forest Green
- 1 x tomillo limón Golden Lemon
- 1 x tomate Tumbler
- 1 x cebollín
- 1 x nasturtium o capuchina African Queen

Plantación y mantenimiento

Asegúrese de hacer orificios de drenaje en la base del canasto. Coloque una capa de compost liviano en el fondo del canasto y luego ubique las plantas sin sacarlas aun de sus macetas, para elegir dónde se verán mejor. Recuerde que las plantas rastreras se deben ubicar cerca de los bordes. Una vez que haya elegido el diseño, riegue las plantas, retírelas de las macetas y colóquelas en el canasto. Rellene los espacios vacíos con compost, presione alrededor de las plantas y riegue generosamente. Cuélguelo de un gancho resistente y riegue periódicamente. Cuando comiencen a asomar los tomates, aplique nutrientes solubles todas las semanas.

Menta Chocolate

Perejil Forest Green

Tomillo limón Golden Lemon

Tomate Tumbler

Cebollín

Nasturtium o capuchinas African Queen

Cómo preparar canteros con plantas de regeneración rápida

Aun cuando no cuente con un jardín, puede cultivar una considerable cantidad de hojas para ensalada sabrosas y tiernas. Las verduras de hoja se encuentran entre las plantas más rápidas y sencillas de cultivar a partir de semillas y, cuando se plantan en un cantero, ya sea en un balcón o un patio, son las opciones más convenientes para cuidar y cosechar. Intente cultivar una mezcla de lechugas, hojas verdes orientales y rúcula para preparar una ensalada sabrosa y fresca en cuestión de segundos.

Características de los canteros

Tamaño 50 x 15 cm

Ideal para Patios o balcones donde se pueda colocar un cantero

Suelo Compost para usos múltiples de buena calidad

Ubicación Canteros que se puedan regar, y reciban sol pleno o sombra parcial

Lista de compras

- 1 x paquete de semillas de mibuna
- 1 x paquete de semillas de mizuna
- 1 x paquete de semillas de lechuga Oakleaf u otras variedades para ensaladas
- 1 x paquete de semillas de rúcula

Plantación y mantenimiento

Seleccione una ventana, balcón o patio con sol o sombra parcial y de fácil acceso para regar y cosechar las plantas. Asegúrese de que el cantero quede bien sujeto y que tenga orificios para drenaje en la base. Agregue una capa de grava al recipiente y rellene hasta 2 cm del borde superior con compost para usos múltiples. Mezcle las distintas semillas en un recipiente y siémbrelas delicadamente, dejándolas caer desde la palma de su mano. Este proceso se debe realizar desde mediados de la primavera hasta fines del verano. Cubra con una capa delgada de compost y riegue. La germinación es rápida y las primeras hojas se pueden cortar al cabo de 3-5 semanas, dejando un tocón de 5 cm para que vuelvan a crecer. Obtendrá dos o tres cosechas más a intervalos de 3-5 semanas. Riegue el cantero periódicamente para obtener plantas sanas.

Mibuna

Mizuna

Lechuga Oakleaf

Otra idea para plantar

Rúcula Rocket Wild

Diseños decorativos con plantas trepadoras

Pocas combinaciones de flores y hortalizas pueden ser más atractivas que este mix de exóticas flores color violeta y jugosas calabazas en tonos naranja. El vigoroso desarrollo de la calabaza la convierte en una planta perfecta para guiar por encima de un cerco y ofrece un atractivo contraste con el delicado follaje de plantas trepadoras como la pasionaria y la hiedra morada. Todas estas plantas florecen con el calor del verano, por lo tanto, se desarrollarán mejor en zonas cálidas con una extensa temporada estival.

Características de los bordes

Tamaño 2 x 2 m
Ideal para Huertas o jardines ornamentales con cercos o enrejados.
Suelo Fértil y húmedo pero adecuadamente drenado
Ubicación Borde frente a un cerco o un enrejado a pleno sol

Lista de compras

- 1 x calabaza Uchiki Kuri o Jack Be Little
- 1 x pasionaria (*Passiflora caerulea*)
- 1 x hiedra morada (*Cobaea scandens*)

Plantación y mantenimiento

Siembre las semillas de calabaza y hiedra morada en un lugar protegido a mediados de la primavera, ya sea en una habitación cálida o con la ayuda de un dispositivo de calefacción. Las pasionarias se pueden comprar directamente como plantas y se desarrollarán como plantas trepadoras perennes en jardines cálidos. Coloque un enrejado o un tejido de alambre contra el cerco, para que las plantas trepadoras se puedan atar o puedan usar sus propios zarcillos como soporte.
Una vez pasada la época de heladas, coloque las plantas jóvenes a unos 30 cm de la base del cerco, a una distancia de 45 cm y riegue bien. Ate los tallos a los soportes cuando estén lo suficientemente largos para que luego la pasionaria y la hiedra puedan apoyarse para avanzar. Es posible que la calabaza necesite más apoyo. Riegue periódicamente las calabazas una vez que aparezcan los frutos.

Calabaza Uchiki Kuri

Pasionaria (*Passiflora*)

Hiedra morada (*Cobaea*)

Otro tipo de calabaza

Calabaza Jack Be Little

Cantero de hortalizas exóticas

Si cuenta con una pared protegida y soleada que absorba el calor del sol durante el día y caliente el aire que la rodea por la noche, aproveche este microclima para cultivar plantas exóticas. Este cantero se ha diseñado con tomates, morrones, berenjenas y plantas de garbanzos con hojas afelpadas, además de pepinos y batatas que trepan lentamente por la pared. Algunos de estos vegetales sólo se desarrollan correctamente en veranos con altas temperaturas, pero son plantas muy llamativas que vale la pena cultivar.

Características de los bordes

Tamaño 2 x 1 m
Ideal para Cualquier estilo de jardín
Suelo Fértil y húmedo, con drenaje óptimo
Ubicación Borde frente a una pared con pleno sol, en regiones cálidas

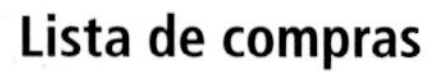

Lista de compras

- 1 x berenjena Moneymaker
- 1 x pepino Carmen
- 1 x morrón Gypsy
- 1 x tomate Summer Sweet
- 1 x garbanzo Príncipe
- 1 x batata Beauregard

Plantación y mantenimiento

En primavera, siembre semillas de tomates, pepinos, morrón y berenjenas en un lugar protegido. Una vez finalizada la época de heladas, aclimate las plantas jóvenes y plántelas en el cantero. Antes de plantarlos en sus ubicaciones definitivas, se recomienda remojar los garbanzos durante unos días en agua que debe cambiar periódicamente, hasta que broten. Plante las batatas dejando aproximadamente 5 cm de tallo por encima del nivel del suelo y riegue generosamente. Coloque un tejido de alambre contra la pared y guíe los tallos de la planta de pepino y batata a través de la malla. Una vez que hayan aparecido los primeros frutos, todas las semanas agregue fertilizantes con alto contenido de potasio. A fines del verano, los cultivos estarán listos para cosechar.

Berenjena Moneymaker

Pepino Carmen

Morrón Gypsy

Tomate Summer Sweet

Garbanzo Príncipe

Batata Beauregard

Cómo preparar una huerta en el patio

Hasta un modesto rincón del jardín alcanza para cultivar una interesante variedad de hortalizas que darán frutos durante una larga temporada. En este ejemplo, se guiaron tomates en racimo y chauchas sobre la pared y el cerco para aprovechar al máximo el espacio vertical. En el borde del sendero se colocó una planta tupida de lechuga. El repollo morado y el choclo prolongarán la cosecha hasta fines del verano y comienzos del otoño. Los zapallitos redondos plantados en maceta, crecerán hasta mediados del otoño.

Características de los bordes

Tamaño 4 x 2 m

Ideal para Jardines en patios

Suelo Fértil y húmedo, con drenaje óptimo

Ubicación Rincón del jardín, protegido por una pared o un cerco, a pleno sol

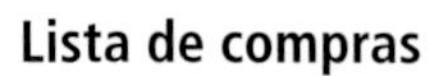

Lista de compras

- 3 x tomate Gardener's Delight
- 3 x chaucha Liberty
- 1 x zapallito redondo Burpee's Golden
- 9 x choclo Swift
- 1 x paquete de semillas de lechuga
- 3 x repollo Marner Early Red

Plantación y mantenimiento

Para preparar el área, incorpore gran cantidad de materia orgánica, idealmente en otoño. Compre plantas en almácigos o, cuando cuente con espacio cubierto, plante semillas de tomate, chauchas, repollo morado y choclo en macetas. Espere hasta que broten y plante en el patio después de las últimas heladas. Plante los tomates en una bolsa de cultivo porque crecen mejor en compost enriquecido, agregue cañas para soporte y corte los brotes laterales a medida que crecen. Coloque alambres para que las chauchas trepen. Plante el choclo en un macizo para facilitar la polinización y siembre directamente algunas semillas de lechuga de manera periódica para garantizar una producción constante. Riegue las plantas jóvenes y continúe regando e incorporando fertilizantes al agua de riego periódicamente.

Tomate Gardener's Delight

Chaucha Liberty

Zapallito redondo Burpee's Golden

Choclo Swift

Lechuga (cualquier variedad para ensaladas)

Repollo Marner Early Red

La huerta tradicional francesa

La huerta tradicional de la campiña francesa se caracteriza por un diseño formal donde las exquisitas combinaciones cromáticas de las verduras y las hortalizas compiten con las plantas ornamentales.

Cultivar una huerta de este tipo no es complicado pero exige esmero a la hora de seleccionar y ubicar las variedades de distintos colores, que resultan atractivas a medida que maduran. En la fotografía, se aprecia como el choclo y las chauchas trepadoras equilibran por su altura al resto de las variedades de follaje gris y morado.

Características de los bordes

Tamaño 6 x 8 m
Ideal para Una superficie con buen suministro de agua y fácil acceso
Suelo Fértil, húmedo, bien drenado
Ubicación Un terreno amplio a pleno sol, protegido de vientos fuertes

Lista de compras

- 1 sobre de semillas de chaucha trepadora Liberty
- 1 sobre de semillas de choclo Lark
- 1 sobre de semillas de repollo Red Jewel
- 1 sobre de semillas de chaucha The Sutton
- 1 sobre de semillas de repollo crespo Red Russian
- 1 sobre de semillas de chalote Golden Gourmet

Plantación y mantenimiento

Prepare el suelo. Para ello, agregue una buena cantidad de abono en otoño, antes de cultivar. Dibuje un esquema del diseño de la huerta. Esto le permitirá calcular el número de plantas necesario para cada hilera, como también con qué se pueden reemplazar después de la cosecha. Siembre en primavera y transplante en hileras prolijas a inicios del verano. No olvide colocar soportes para las chauchas trepadoras. Riegue generosamente las plantas. Ate las trepadoras a los soportes. Prevenga la aparición de plagas. Coseche las verduras y las hortalizas a medida que maduran y tenga listas las plantas que cultivará en el terreno para conservar el aspecto abundante y colorido de la huerta.

Chauchas Liberty

Choclo Lark

Repollo Red Jewel

Chaucha The Sutton

Repollo crespo Red Russian

Chalote Golden Gourmet

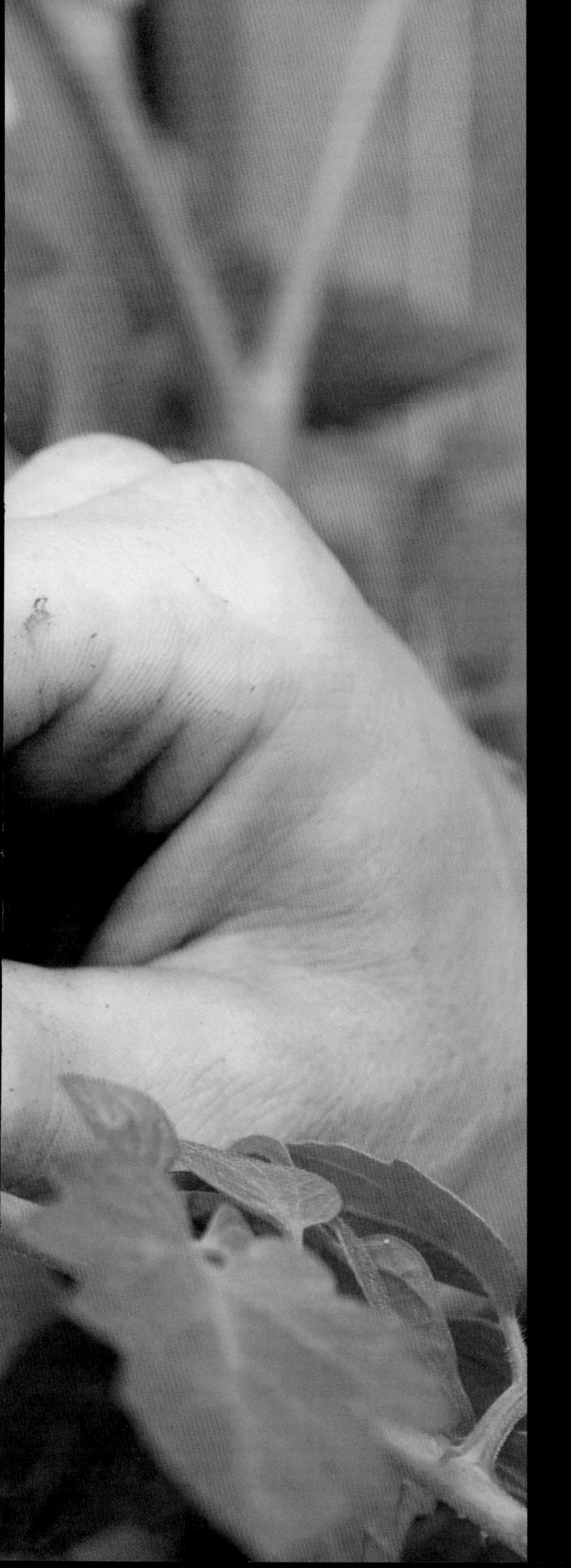

Mantenimiento de los cultivos

El mantenimiento de la huerta es una tarea cotidiana mucho más sencilla cuando se conocen el clima que afecta al suelo y las necesidades de cada planta. En este capítulo, aprenderá cómo desmalezar, regar, detectar inconvenientes y solucionarlos como corresponde. Si opta por no usar productos químicos, al igual que muchos hortelanos, siga los consejos sobre cómo atraer a las especies depredadoras que se alimentan con las plagas más comunes en las huertas.

Aliados de la huerta

Algunas especies silvestres contribuyen a la polinización de las plantas; otras, desmenuzan el compost y devoran a las plagas. Intente que estos visitantes amigables se sientan a gusto en su huerta.

Abejas Las flores de muchas hortalizas como las chauchas trepadoras necesitan que los insectos las polinicen. De lo contrario, no dan frutos. Las abejas son excelentes en esta tarea. Para atraerlas, incluya flores ornamentales en la huerta.

Depredadores de plagas

No todos los insectos de la huerta son plagas. Muchos se alimentan con insectos dañinos capaces de destruir toda una cosecha a menos que se los detecte a tiempo. Por este motivo, vale la pena estimular que visiten la huerta para lograr un equilibrio natural y prevenir la propagación de las plagas. Tenga en cuenta que muchos pesticidas en aerosol, inclusos los orgánicos, matan a los insectos beneficiosos. No los use a menos que no le quede otra alternativa.

Moscardones Estos insectos, que suelen confundirse con las abejas, son magníficos aliados de la polinización. Sus larvas devoran vorazmente a los insectos dañinos.

Vaquitas de San Antonio Los insectos adultos son amigables y frecuentes. Las larvas, bastante menos atractivas, tienen una especial predilección por los áfidos.

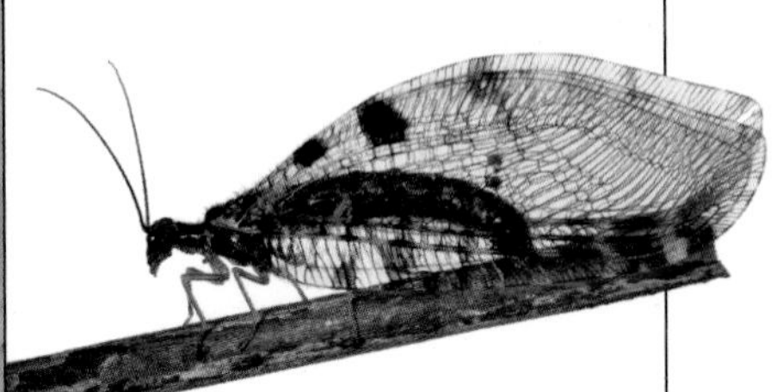

Crisópidos El aspecto delicado de los insectos adultos contrasta con el enorme apetito de sus larvas por las plagas de la huerta.

Animales beneficiosos

Los pájaros y los sapos, esquivos y tímidos, son el mejor amigo del hortelano, ya que se alimentan con los caracoles y otros visitantes indeseados. Si les deja algo de alimento, los pájaros pronto poblarán la huerta. Cada especie se alimenta con algún tipo de insecto o incluso con los caracoles. Intente crear un hábitat favorable para todo tipo de animales. Como premio obtendrá una huerta más productiva y libre de plagas.

Zorzales Estos pájaros destruyen la caparazón de los caracoles. Plante un arbusto o un árbol que dé bayas para que tengan con qué alimentarse en el invierno.

Lombrices rojas Estas criaturas, más pequeñas y rojas que la lombriz de tierra, convierten rápidamente los residuos vegetales en compost.

Sapos y renacuajos Incluso una fuente pequeña puede convertirse en el hogar de sapos y renacuajos que mantendrán a raya a los caracoles.

Cómo quitar malezas

En las huertas, las malezas están de más, puesto que compiten con las verduras y las hortalizas por el agua, los nutrientes y la luz, además de albergar plagas y enfermedades que podrían atacar los cultivos.

Control de malezas Si desmaleza la huerta con frecuencia, controlará rápidamente todos los focos, excepto aquellos muy rebeldes. Luego de unos pocos años, el mantenimiento será sencillo. Además, el trabajo le resultará más manejable si lo divide en pequeñas secciones.

Los jardineros que prefieren no utilizar herbicidas químicos rápidamente se convierten en expertos en desmalezar con rastrillo y azada. La azada es ideal para despejar grandes áreas de malezas anuales, mientras que el rastrillo sirve para arrancar las raíces de las nocivas malezas perennes. El rastrillo de mano es útil para desmalezar entre los cultivos.

El mantillo orgánico de paja evita el crecimiento de malezas, además de lucir muy bien.

El mantillo en lámina, como la tela sintética para jardinería, funciona muy bien en áreas extensas.

Cómo evitar el crecimiento de malezas Las malezas proliferan en suelos desnudos. Son difíciles de evitar luego de la cosecha y de la nueva plantación de semillas. Por el contrario, cuando el suelo está cubierto, las malezas no crecen. Si coloca tela para jardinería o plástico negro sobre el suelo, bloqueará la luz. El crecimiento de las malezas será menor, y los cultivos podrán plantarse a través de agujeros. La colocación de mantillos orgánicos alrededor de las plantas también evita la aparición de malezas, como también lo hace la plantación entre las filas de cultivos de rápida maduración, como lechuga, o plantas trepadoras, como mastuerzo.

Cómo trabajar con la azada Controle los brotes anuales de maleza pasando una azada sobre el suelo para cortarlos de raíz. Si el trabajo de la azada se realiza a poca profundidad, menos semillas de maleza salen a la superficie y minimiza la pérdida de humedad del suelo. Pase la azada con frecuencia entre los almácigos germinados.

Controles con productos químicos Donde las malezas perennes constituyan un grave problema, podrá utilizar un herbicida sistémico, que irá desde las hojas hasta las raíces y matará toda la planta. Aplique el veneno durante un día no ventoso y cubra los cultivos próximos con un film plástico. Coloque las malezas sobre el plástico y rocíe.

Cómo desmalezar a mano Desmalezar con frecuencia, con un rastrillo de mano es la mejor forma de mantener el suelo despejado alrededor de las plantas; además, retira las malezas perennes, como este ranúnculo, cuando aún son pequeñas. No deje las malezas en el suelo, porque, si llueve, podrán prender nuevamente en la tierra o dispersar semillas.

Cómo arrancar malezas perennes Para erradicar estas malezas, deberá escarbar con cuidado para quitar todo rastro de raíces y plantas trepadoras, o aplicar un herbicida sistémico. No agregue las malezas al compost, porque podrán crecer nuevamente en el suelo.

Guía de malezas

Malezas perennes

Campanilla (*Convolvulus arvensis*) Esta planta trepadora, de bellas flores blancas y hojas en forma de corazón, resurgirá del más mínimo fragmento de raíz y se extenderá con facilidad.

Zarza (*Rubus*) Arbusto trepador con largos y espinosos tallos arqueados que se torna invasivo y difícil de retirar con rapidez. Además, los tallos sacan nuevas raíces en las puntas.

Ranúnculo (*Ranunculus repens*) Esta planta con flores amarillas se extiende y forma una mata frondosa de raíces superficiales, bastante fáciles de quitar.

Grama (*Agropyron repens*) Este frondoso césped se extiende con mucha rapidez mediante raíces resistentes, que son difíciles de quitar por completo. Crecerá nuevamente si deja rastros en la tierra.

Diente de león (*Taraxacum officinale*) Retire los grupos de hojas dentadas mientras sean pequeños; una vez que la raíces hayan crecido y las semillas se hayan dispersado, el trabajo será mucho más difícil.

Acedera (*Rumex*) Grandes hojas puntiagudas y espigones altos de flores crecen sobre una carnosa raíz primaria que se entierra profunda en la tierra.

Angélica menor (*Aegopodium podagraria*) Las raíces rastreras de esta planta son nocivas. Se la reconoce fácilmente por sus hojas de aspecto añejo y sus flores blancas.

Ortiga (*Urtica dioica*) Las ásperas hojas irregulares están recubiertas de pelos urticantes. Las raíces rastreras de color amarillo vivaz son fácilmente reconocibles. Erradicarlas es un desafío.

Cola de caballo (*Equisetum*) Es casi imposible erradicar esta planta. Las raíces de color marrón oscuro de estas plantas se extienden varios metros bajo tierra.

Malezas anuales y bianuales

Espiguilla (*Poa annua*) Este césped bajo de apariencia insignificante coloniza cualquier espacio vacío, como aquellos entre los senderos. Elimínelo antes de que produzca semillas.

Hierba cana (*Senecio jacobaea*) Las margaritas amarillas de esta planta alta aparecen durante su segundo año de vida. Luego, surgen las blancas semillas esponjosas y livianas que colonizan los espacios abiertos.

Álsine (*Stellaria media*) Esta maleza, bastante delicada y con adorables florcitas blancas en forma de estrella, se establece y produce semillas con rapidez. Además, su hábito de crecimiento desordenado ahoga los plantines.

Hierba cana (*Senecio vulgaris*) Las blancas semillas esponjosas y livianas de esta maleza flotan con la brisa, por lo que es probable que estén presentes en todos los jardines. Retire las plantas antes de que aparezcan las pequeñas flores amarillas.

Bolsa de pastor (*Capsella bursa-pastoris*) De los rosetones de hojas recortadas, se eleva un tallo con pequeñas flores blancas, que rápidamente se convierten en las cápsulas de semillas con forma de corazón.

Berro amargo (*Cardamine hirsuta*) Retírela apenas brote, cuando las hojas sean pequeñas y asemejen a las del berro, ya que los tallos con flores crecen rápidamente.

Bardana (*Galium aparine*) Esta maleza trepadora se cubre de pequeñas cerdas corvas, lo que le permite elevarse entre las plantas. Retírela de raíz en lugar de arrancar los tallos.

Cenizo (*Chenopodium album*) Reconocerá con facilidad esta maleza común por sus hojas de color verde grisáceo con forma de diamante. Crece con rapidez y produce tallos con flores en la punta.

Llantén (*Plantago*) Los rosetones bajos de hojas casi plumosas aparecen en los bordes y el césped. Erradíquelos antes de que las flores aparezcan.

Cómo controlar las plagas

No se aterrorice: todos los jardines tienen plagas. Utilice un insecticida en atomizador cada vez que detecte alguna. Las plantas sanas los toleran. Además, algunos son nutrientes para insectos beneficiosos, y usted puede estimular el crecimiento de éstos en el terreno.

Sano equilibrio Mantenga sanas sus plantas con abundante agua y un suelo rico y bien drenado, y evite la aparición de plagas plantando los cultivos en diferentes partes del jardín todos los años. Estimule la aparición de animales e insectos beneficiosos, como pájaros, tábanos y sapos, con ayuda de los nutrientes y hábitats indicados. De esta forma, obtendrá un equilibrio natural; los depredadores se ocuparán de mantener un nivel aceptable de plagas, y habrá menor necesidad de aplicar productos químicos.

Estrategias de control Revise las plantas con frecuencia y retire las plagas indeseadas inmediatamente. Si detecta un potencial problema, coloque una barrera, como un material aislante para combatir la mosca de la zanahoria, o ubique plantas alrededor de los cultivos para seducir a los insectos beneficiosos o para confundir a las plagas. De ser necesario, utilice atomizadores químicos al atardecer, ya que las abejas y otros insectos beneficiosos no pululan a esta hora. Las láminas adhesivas resultan útiles en invernaderos, así como también lo son los controles biológicos, que introducen organismos predadores para matar las plagas.

Las láminas adhesivas ayudan a controlar las plagas de propagación aérea en el invernadero.

Cómo evitar la invasión de animales dañinos

Los animales grandes pueden devastar una huerta de la noche a la mañana. No bien detecte la presencia de uno de ellos coloque una barrera física. Para que los ciervos y los conejos no se acerquen, deberá colocar cercos. Existen varias forman económicas y fáciles de vencer a las babosas, los caracoles, los ratones y las palomas.

- Coloque botellas de plástico cortadas a la mitad con cinta de cobre en la base para proteger las plantas jóvenes de babosas, caracoles y pájaros.
- Coloque mallas y sosténgalas con cañas o alambre para mantener alejados a los pájaros; la red fina separa a las mariposas que ponen huevos sobre las crucíferas.
- Las mallas resistentes evitan la aparición de animales de madriguera, como los conejos (*consulte la página opuesta*), que se comen las hortalizas, los repollos y las arvejas.

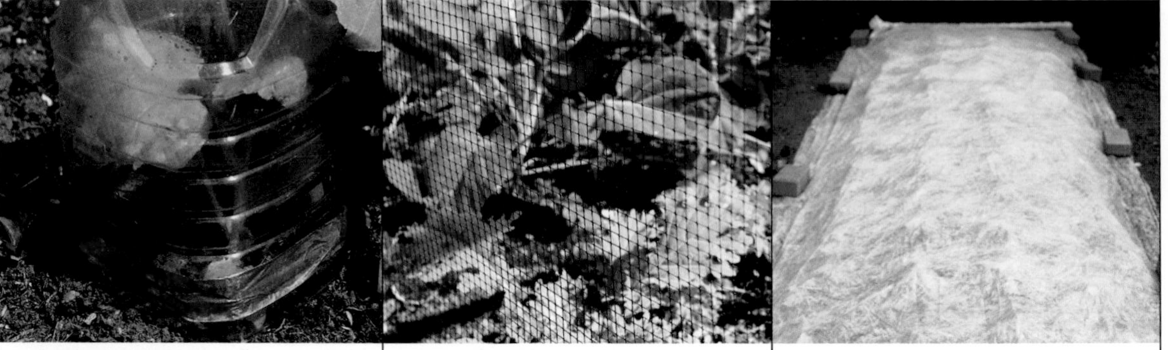

Las botellas de plástico y la cinta de cobre evitan la aparición de babosas.

Coloque mallas para impedir que los pájaros dañen los cultivos.

El material aislante no permite el paso de la mosca de la zanahoria.

Guía de plagas

Áfidos Insectos succionadores de savia (pulgones, moscas negras) que debilitan el crecimiento de las plantas y transmiten enfermedades. Estimule la aparición de pájaros y predadores de insectos, elimínelos de a poco o con un insecticida.

Conejos Impida que estos voraces depredadores de vegetales ingresen en su jardín mediante madrigueras colocando un cerco de malla fina que se extienda 30 cm bajo tierra.

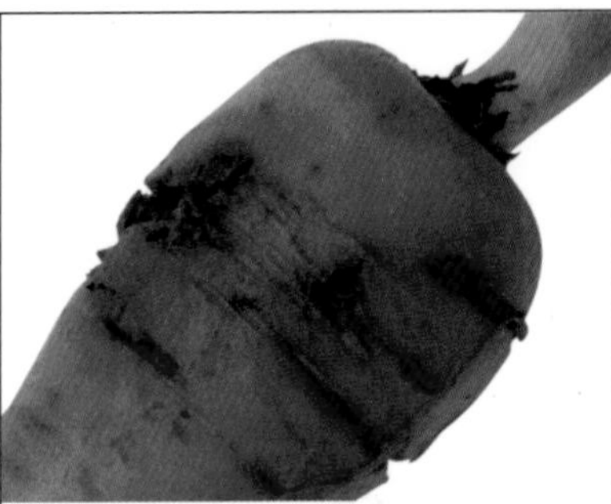

Mosca de la zanahoria Cubra los cultivos con material aislante, siembre con cuidado y plante variedades resistentes para que las larvas de esta clase de mosca no lleguen a las raíces a través de túneles.

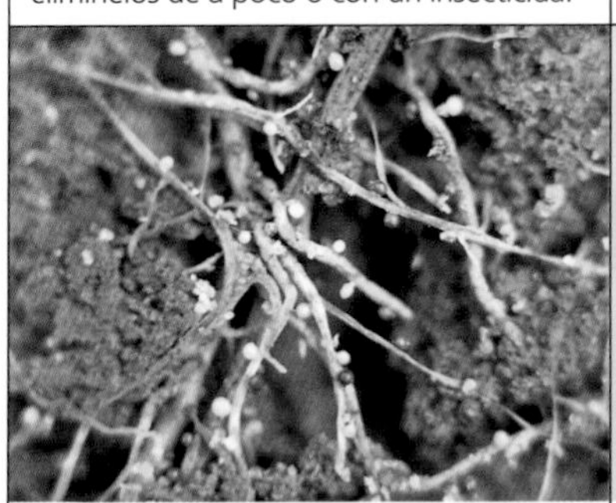

Nematodos parásitos de la papa Estos microscópicos nematodos succionan savia y causan el descoloramiento y la muerte de las hojas de las papas. No plante el mismo cultivo nuevamente en el lugar antes infectado.

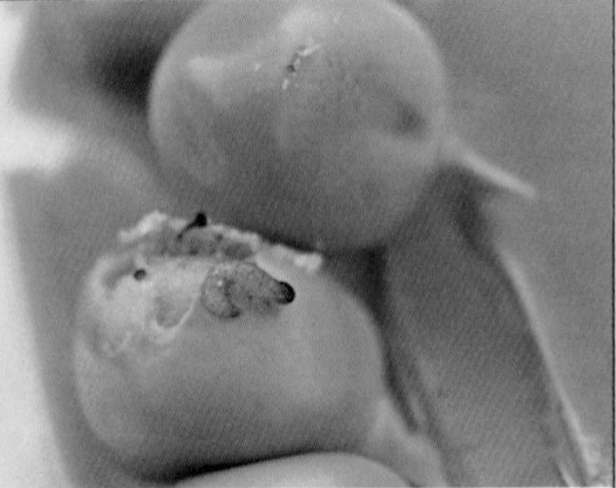

Orugas Las orugas dañan diferentes partes de varias plantas. Las orugas de las arvejas (*arriba*) viven dentro de las bayas. Coloque mallas sobre los cultivos para impedir que depositen huevos.

Escarabajos Estos diminutos escarabajos negros se alimentan de las hojas de las crucíferas, los nabos, los rabanitos y la rúcula. Protéjalos con material aislante para evitar su proliferación.

Mosca blanca Controle en forma biológica la mosca blanca de vivero y utilice un insecticida apropiado para la *Encarsia formosa* (avispa parásita) y para la mosca blanca de las crucíferas.

Arañuela roja Las arañuelas causan que las hojas queden moteadas, en especial, aquellas de plantas que habitan en invernaderos. Mantenga el ambiente húmedo y combátalas con un pesticida.

Babosas y caracoles Proteja las plantas vulnerables, coloque trampas de cerveza y cácelas durante la noche con la ayuda de una linterna. Los controles biológicos con nematodos son menos dañinos que los comprimidos.

Cómo combatir las enfermedades

Tal como sucede con las personas, las plantas sanas y fuertes resisten las infecciones mejor que las débiles y desnutridas. Aprenda cómo ayudar a sus plantas a mantenerse sanas.

Prevenir es mejor que curar Para combatir las enfermedades, es necesario realizar un buen cultivo, además de saber reconocer y tratar sus causas. Las medidas preventivas son fundamentales; para esto, necesitará algunos fungicidas. Las plantas requieren muchos nutrientes y agua para crecer sanas. Agregue bastante materia orgánica a la tierra para que la impregne con nutrientes y conserve la humedad. Quizá necesite regar un poco más, en especial en áreas de climas cálidos. No se olvide de las plantas de interior ni de aquellas en macetas, ya que necesitan riego frecuente y nutrientes para subsistir. El clima húmedo y la mala circulación del aire pueden provocar hongos y hasta la muerte de los plantines. Utilice un compost con buen drenaje y si siembra en un vivero, verifique la ventilación. Si mantiene el terreno ordenado, evitará enfermedades. Asegúrese de retirar rápidamente las fuentes de infección, tales como hojas muertas, plantas cosechadas y malezas. Queme o arroje a la basura el material enfermo; no lo agregue al compost porque la infección podría esparcirse. Aunque no es fácil en un pequeño jardín, intente la rotación de cultivos. Consiste en mover los cultivos a diferentes canteros cada año. De esta forma, se previene la aparición de enfermedades en la tierra. (*consulte la pág. 39*). Si sabe de la existencia de enfermedades, trate de cultivar variedades resistentes. Tenga en cuenta que las plantas nuevas pueden traer enfermedades. Asegúrese de revisarlas cuando las compra o se las regalan.

Insuficiencias, no enfermedades A menudo, los signos de insuficiencias nutricionales, como hojas amarillentas y partes podridas en tomates y pimientos, se confunden con enfermedades. Aprenda a reconocer estas deficiencias para actuar rápidamente y minimizar las consecuencias. A veces, sólo basta con mejorar el riego. Otras veces, deberá agregar fertilizantes al suelo.

Utilice compost fresco para semillas y macetas nuevas o esterilizadas para evitar que la humedad mate las plantas.

Riegue el terreno con frecuencia para estimular el crecimiento sano y fuerte; de esta forma, las plantas serán menos vulnerables.

Agregue cal a la tierra ácida antes de plantar crucíferas para aumentar el nivel del pH y reducir la incidencia de la hernia del repollo.

Guía de enfermedades

Plaga de la papa/del tomate Manchas marrones en hojas, frutos y tubérculos, causadas por un hongo que prolifera en climas cálidos y húmedos. Cultive variedades resistentes o rocíe con fungicida a base de cobre.

Sclerotinia Hongo que causa moho marrón con pelusa blancuzca y que aparece en los tallos y los frutos. Retire y queme o arroje a la basura las plantas afectadas.

Deficiencia de magnesio Las hojas se vuelven amarillentas entre las venas, especialmente sustratos ácidos o después de mucha lluvia. Aplique sales de Epsom en la tierra o rocíelas con un atomizador sobre las hojas.

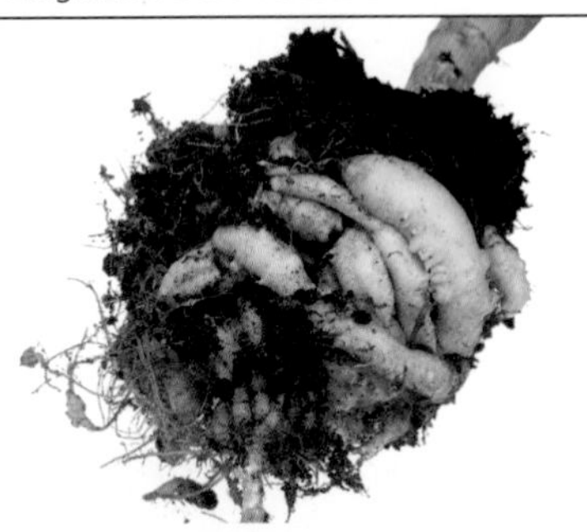

Hernia del repollo Este moho infecta al repollo. Las raíces se hinchan y se deforman, el follaje se marchita y algunas plantas mueren. Asegúrese de que el suelo drene bien, abónelo con un sustrato ácido y elija variedades resistentes.

Frutos podridos El clima seco influye en la absorción de calcio, lo que provoca manchas negras en los tomates y los morrones. Se soluciona con riego frecuente.

Oídio común Muchos cultivos se ven afectados por este hongo. Si la tierra está muy seca, causa esporas blancas en las hojas. Riegue bien la tierra, pero no las hojas.

Podredumbre blanca en cebollas Este hongo blanco perdura en la tierra hasta siete años. Pudre los bulbos y las raíces, y las hojas se tornan amarillentas. Retire y queme las plantas infectadas.

Manchas circulares Especialmente en clima húmedo, estas manchas anaranjadas o marrones aparecen en las hojas o tallos de varios vegetales. Retire las hojas infectadas y cultive variedades resistentes.

Botritis Consiste en un moho grisáceo (o manchas blancuzcas en los tomates) que penetra en las plantas a través de heridas o flores. Retire las partes de la planta que estén muertas o enfermas para evitar el riesgo de infección.

Cómo optimizar los cultivos

Los jardineros utilizan las plantas de muchas formas para vencer a las plagas, atraer insectos polinizadores y enriquecer la tierra en la huerta.

Siembra complementaria La caléndula (*Tagetes*) es una de las plantas más conocidas para complementar los cultivos de vegetales. La intensa fragancia de estas flores coloridas disimula el aroma de los vegetales, por lo que las plagas no los detectan. Muchos jardineros la utilizan en el exterior y en el invernadero.

Enriquezca la tierra y atraiga insectos Las plantas conocidas como abonos verdes (*abajo a la izquierda*) se cultivan para remover la tierra y agregar material orgánico y nitrógeno. En jardines pequeños, es mejor utilizarlos con compost y otras materias orgánicas, para que se alimenten antes de que las semillas se establezcan y crezcan los tallos. Las plantas de mucha floración, como las *Limnanthes* (*abajo a la derecha*), son ideales para atraer insectos beneficiosos y también para agregar mucho color.

Los abonos verdes, como la veza, se entierran en el suelo.

Los insectos beneficiosos atestan las flores brillantes de *Limnanthes douglasii*.

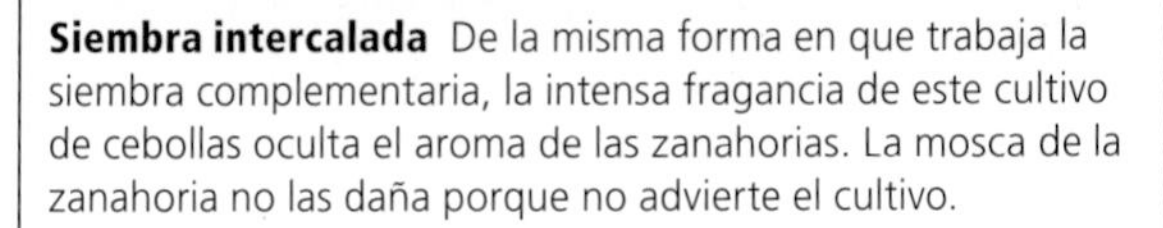

Siembra intercalada De la misma forma en que trabaja la siembra complementaria, la intensa fragancia de este cultivo de cebollas oculta el aroma de las zanahorias. La mosca de la zanahoria no las daña porque no advierte el cultivo.

Cultive albahaca Limite el daño de la mosca blanca plantando albahaca entre los cultivos del invernadero. La mosca blanca atacará primero las hojas tiernas de la albahaca y dejará los cultivos indemnes.

Los cultivos y las estaciones

La jardinería está regida por las estaciones. Si realiza los trabajos en el momento adecuado según el clima y la tierra, obtendrá cultivos abundantes todo el año.

Primavera

A medida que los días se alargan y se vuelven más cálidos, los horticultores esperan ver crecer sus cosechas. Sin embargo, recomendamos averiguar la fecha promedio de la última helada en su zona y no sembrar cultivos tiernos en el interior hasta 4 ó 6 semanas antes de esta fecha. De esta forma, las plantas tienen tiempo suficiente de adquirir el tamaño y resistencia adecuados antes de ser trasplantadas.

Cómo sembrar y plantar en el exterior Muchas variedades resistentes pueden sembrarse directamente en tierra preparada, en el exterior.

- Comienzos de la primavera: siembre arvejas, cebollas, cebollas de verdeo, chirivías, coliflores, habas, lechuga, perejil, puerros, repollitos de Bruselas, repollos; plante ajos, alcauciles, cebollas, chalotes, espárragos, papas y topinambur.
- Mediados de la primavera: siembre acelga, arvejas, brócoli, brócoli calabrés, coliflores, colirrábano, espinacas, lechuga, nabos, puerros, rabanito, remolachas, repollos, rúcula, zanahorias; plante alcauciles, cebollas, papas y topinambur.
- Finales de la primavera: siembre acelga, arvejas, chauchas, chirivía, choclo, coliflores, lechuga, rabanitos, repollos, rúcula, zanahorias.

Cómo sembrar en un vivero Siembre vegetales resistentes en invernaderos para obtener cosechas tempranas y proteja los vegetales tiernos del impredecible clima primaveral.

- Comienzos de la primavera: albahaca, apio nabo, berenjena, lechuga, pepinos, perejil, pimientos, remolacha, rúcula, tomates, zanahorias.
- Mediados de la primavera: albahaca, apio nabo, berenjena, chauchas, choclos, pepinos, perejil, pimientos, tomates.
- Finales de la primavera: calabazas, zapallitos redondos, zapallos.

Cómo cosechar Coseche las crucíferas y los cultivos del invernadero (*consulte las págs. 34 y 35*).

- Comienzos de la primavera: brócolis, coliflores, hierbas perennes, repollos, repollos crespos, vegetales de hoja.
- Mediados de la primavera: acelga, brócolis, coliflores, hierbas perennes, repollos crespos, verduras de hoja.
- Finales de la primavera: arvejas, cebollas de verdeo, colirrábano, espárragos, habas, hierbas perennes, rabanitos, verduras de hoja.

Tareas de estación Existen muchas tareas en esta época del año. Asegúrese de aprovechar este clima al máximo.

- Trasplante los plantines en macetas cuando tengan el tamaño necesario. Permita que las plantas se adapten a la intemperie cuando el riesgo de heladas disminuya.
- Utilice la azada para controlar las malezas; prepare los canteros; coloque las guías para las arvejas y chauchas; eleve y divida las hierbas perennes; trasplante las hierbas en macetas; riegue las plantas en macetas.
- Cubra las papas con tierra para protegerlas de las heladas y los frutos tempranos con campanas de cristal o material aislante por el frío. Asimismo, proteja las crucíferas de los pájaros.

La primavera es la época ideal para comenzar a sembrar semillas en surcos, en el exterior.

A finales de la primavera, podrá plantar chauchas en el exterior.

Los cultivos y las estaciones *(continuación)*

Verano

Trate de desmalezar, regar y cosechar todos los días. Hasta los jardines diminutos pueden producir muchísimo. Siembre pequeñas cantidades de semillas cada 2 ó 3 semanas y obtendrá abundantes cosechas durante el verano.

Cómo sembrar Siembre sucesivamente durante el verano y no se olvide de los cultivos de finales del verano, se protegen con campanas y se cosechan en invierno.

- Comienzos del verano: acelga, arvejas, brócoli calabrés, cebolla de verdeo, chauchas, hierbas, lechuga, nabos, nabos suecos, pepinos, rabanitos, remolachas, rúcula, zanahorias, zapallitos redondos, zapallos.
- A mediados del verano: brócoli calabrés, cebollas de verdeo, lechuga, nabos, remolachas, verduras de hoja.
- Finales del verano: espinacas, nabos, rabanitos, repollos, verduras de hoja orientales.

Cómo trasplantar A comienzos del verano, trasplante las plantas jóvenes que crecieron en el interior o en semilleros en el exterior a su ubicación final. No trasplante al exterior hasta que el riesgo de heladas haya desaparecido. Algunos cultivos tiernos crecen mejor en un vivero. Asegúrese de regar todos los cultivos trasplantados.

- Interior: berenjenas, pepinos, pimientos, tomates.
- Exterior: apio, apio nabo, brócoli, chauchas, choclo, coliflores, puerros, repollitos de Bruselas, repollos, repollos crespos, tomates, zapallitos redondos, zapallo.

Cómo cosechar La cosecha frecuente estimula un mayor crecimiento de flores y frutos por períodos más prolongados.

- Comienzos del verano: acelga, alcauciles, arvejas, cebollas de verdeo, coliflores, colirrábanos, habas, hierbas, lechuga, nabo, papas, rabanitos, remolachas, repollos, verduras de hoja, zapallitos redondos.
- A mediados del verano: ajos, arvejas, cebollas de verdeo, colirrábanos, habas, hierbas, lechuga, papas, pepinos, rabanitos, remolachas, repollos, tomates, vegetales de hoja, zanahorias, zapallitos redondos.
- Finales del verano: ajíes, arvejas, berenjenas, brócoli calabrés, cebollas, chalotes, chauchas, choclos, hierbas, lechuga, papas, pepinos, pimientos, repollos, tomates, zanahorias, zapallitos redondos, verduras de hoja.

Tareas de estación Cultivar y cuidar plantas resistentes contribuye al mantenimiento de un terreno sano y productivo.

- Mantenga el jardín ordenado. Riegue, nutra y desmalece las plantas con frecuencia. Si sale de vacaciones, pida la ayuda de un amigo o vecino durante su ausencia.
- A comienzos del verano, aplique una mezcla fina de cal en los paneles de vidrio del invernadero. Disminuirá los rayos solares. Controle la ventilación del invernadero a diario y verifique que no haya rastros de plagas ni de enfermedades.
- Coloque guías junto a los vegetales trepadores, corte las ramas de los tomates y cubra con tierra las papas y las crucíferas.
- Almacene las verduras y las hierbas que no llegue a consumir frescas.

Proteja los cultivos del invernadero colocando una fina capa del cal en los paneles de vidrio.

Cubra las papas con tierra para que la luz no afecte los tubérculos.

Otoño

El huerto tiene mucha vida en esta época del año: hay bastante para cosechar y muchas semillas para sembrar.

Cómo sembrar, plantar y trasplantar

- Comienzos del otoño: siembre en el invernadero las verduras de hoja orientales, las cebollas japonesas y la acelga. Trasplante los repollos.
- Mediados del otoño: siembre arvejas, brócoli calabrés, habas, zanahorias.
- Finales del otoño: siembre habas, lechuga; plante ajos.

Cómo cosechar

- Comienzos del otoño: ajíes, chauchas, choclos, papas, pepinos, pimientos, remolachas, tomates, verduras de hoja, zanahorias, zapallos.
- Mediados del otoño: nabos, papas, repollos, tomates, verduras de hoja, zanahorias.
- Finales del otoño: chirivías, hierbas, puerros, repollos, repollos crespo, vegetales de hoja.

Tareas de estación

- Ordene el jardín, retire las malezas anuales y los cultivos marchitos, y agréguelos al montón de compost.
- Cure los zapallos para guardarlos en perfectas condiciones.
- Retire la cal de los paneles del invernadero.
- Retire las hojas inferiores de las plantas de tomate para que maduren los últimos frutos.

Invierno

Aunque esta estación no requiere mucho trabajo, aproveche para planificar la siembra del próximo año tomando como base los éxitos y fracasos de este año.

Cómo sembrar y plantar Los cultivos resistentes pueden plantarse bajo techo a mediados del invierno.

- Mediados del invierno: siembre cebollas, chalotes, coliflores, habas, lechuga, puerros, zanahorias.
- Finales del invierno: siembre arvejas, cebollas, chalotes, habas, nabos, puerros, rabanitos, repollitos de Bruselas, repollos.

Cómo cosechar

- Chirivías, puerros, repollitos de Bruselas, repollos, repollos crespos; bajo techo: verduras de hoja, en particular, acelga y verduras de hoja orientales.

Trabajos de estación Si quiere modificar el trazado del jardín, ésta es la época para construir senderos y formar canteros, y tenerlos listos para la primavera.

- Ordene las semillas, cultive papas y cebollas. A mediados del invierno, coloque las papas en un lugar fresco y luminoso.
- Cuando el clima lo permita, remueva y abone la tierra a medida que coseche los últimos frutos.
- Limpie el invernadero con detergente hortícola y descarte todo rastro de plantas viejas para evitar la propagación de plagas y enfermedades.

Trenze las ristras de ajo.

El invierno es la época ideal para remover la tierra y controlar la proliferación de malezas.

Guía de plantas

Cuando consulte un catálogo de semillas, verá una enorme variedad de verduras y hortalizas. Utilice esta guía para elegir cuidadosamente y logrará el éxito esperado. Los símbolos descriptos a continuación se utilizan en toda la guía; indican cuáles son los cuidados que requiere cada cultivo.

Significado de los símbolos

🏆 Plantas destacadas por su versatilidad y belleza.

Tipo de suelo

- ● Suelo con óptimo drenaje
- ◐ Suelo húmedo
- ○ Suelo pantanoso

Preferencia de sol o sombra

- ☀ Pleno sol
- ◐ Media sombra
- ☼ Plena sombra

Tubérculos: papas

Papa *Red Duke of York*
Variedad resistente que produce abundante cantidad de tubérculos de cáscara roja y pulpa amarilla. Las pequeñas son ideales para ensaladas; las grandes se preparan hervidas o asadas. Los brotes nuevos necesitan protección contra las heladas.

Siembra: a comienzos de la primavera
Cosecha: desde comienzos hasta mediados del verano

Papa *Foremost*
Coseche esta útil variedad desde comienzos del verano o, durante todo el verano, a medida que necesite. Esta variedad de cáscara y pulpa blancas tiene una textura firme, por lo que es ideal para ensaladas. Proteja los brotes jóvenes de la helada.

Siembra: a comienzos de la primavera
Cosecha: desde comienzos hasta finales del verano

Papa *Arran Pilot*
Esta popular variedad temprana de primavera es excelente para los horticultores que disfrutan de grandes extensiones de papas de textura cremosa y lustrosa. La cáscara es resistente y tolera las sequías. Los brotes nuevos necesitan protección contra las heladas.

Siembra: a comienzos de la primavera
Cosecha: desde comienzos hasta mediados del verano

Papa *Mimi*
Es la variedad de papa temprana de primavera ideal para macetas: produce muchísimos tubérculos rojizos con una increíble pulpa color crema. Es excelente en ensaladas y tiene una piel muy resistente. Proteja los brotes jóvenes de la helada.

Siembra: a comienzos de la primavera
Cosecha: a comienzos del verano

Papa *Charlotte*
Es la papa predilecta de los consumidores por sus tubérculos suaves y alargados, y su delicioso sabor. Esta papa temprana de verano es fácil de cultivar en el jardín y es una de las mejores papas para ensaladas.

Siembra: a mediados de la primavera
Cosecha: desde mediados hasta finales del verano

Papa*Saxon*
Pruebe estas harinosas papas tempranas de verano asadas, hervidas o fritas. Los grandes tubérculos tienen un suave sabor cremoso, y las plantas son resistentes a los carbuncos y a los nematodos parásitos.

Siembra: a mediados de la primavera
Cosecha: desde mediados hasta finales del verano

Papa *Royal Kidney*
Esta tradicional variedad de cultivo es ideal para ensaladas. Produce, desde finales del verano, papas deliciosas, algo amarillentas. Además, podrá realizar una cosecha temprana si quiere obtener papas nuevas bien tiernas.

Siembra: a mediados de la primavera
Cosecha: a finales del verano

Papa *Ratte*
Estos tubérculos alargados y algo nudosos del cultivo principal son realmente exquisitos. Su pulpa densa, lustrosa y amarillenta tiene un marcado sabor avellanado, por lo que son ideales para ensaladas.

Siembra: a mediados de la primavera
Cosecha: a finales del verano

Papa *Pink Fir Apple*
Variedad curiosa de cultivo que produce tubérculos alargados e irregulares de cáscara rosada. Cocínelas sin pelar. La pulpa con un dejo de sabor a tierra es popular en ensaladas. Los tubérculos se conservan bien.

Siembra: a mediados de la primavera
Cosecha: desde comienzos del otoño

Papa *Kerrs Pink*
Esta variedad de alto rendimiento crece en casi todos los tipos de suelos. Sus tubérculos rosados tienen una textura cremosa perfecta para consumirla en puré, fritas o asadas. Se conserva bien.

Siembra: a mediados de la primavera
Cosecha: desde comienzos del otoño

Papa *Sante*
Es excelente para horticultores orgánicos porque tiene muy buena resistencia a plagas y enfermedades. Esta variedad de cultivo principal produce grandes tubérculos ideales para consumir asados o hervidos. Se conserva bien.

Siembra: a mediados de la primavera
Cosecha: desde finales del verano

Papa *Nicola*
Por su resistencia a los nematodos parásitos y a las plagas, este cultivo principal se utiliza para preparar ensaladas de papas. En el invierno se producen y almacenan abundantes cosechas de tubérculos amarillos, alargados y lustrosos.

Siembra: a mediados de la primavera
Cosecha: desde finales del verano

Tubérculos: chirivías, remolachas, zanahorias

Zanahoria *Parmex*
Por sus raíces regordetas y esféricas, es la mejor clase de zanahorias para macetas o suelos de poca profundidad. A pesar de su forma, son dulces. Las primeras cosechas pueden sembrarse debajo de paneles o de campanas.

Siembra: desde comienzos hasta finales de la primavera
Cosecha: desde finales de la primavera hasta comienzos del otoño

Zanahoria *Infinity* F1
Esta zanahoria tiene una raíz delgada que sabe deliciosa cruda o cocida. Las zanahorias dulces son de color anaranjado oscuro y se conservan bien en la tierra hasta el otoño o puede cosecharlas y almacenarlas.

Siembra: desde comienzos de la primavera hasta mediados del verano
Cosecha: desde finales del verano hasta finales del otoño

Zanahoria *Flyaway* F1
Esta variedad produce muy buenas cosechas. Además, es la menos atacada por la mosca de la zanahoria. Las raíces, robustas y cilíndricas, tienen una cáscara suave y un sabor dulzón.

Siembra: desde comienzos de la primavera hasta mediados del verano
Cosecha: desde finales de la primavera hasta mediados del otoño

Zanahoria *Purple Haze* F1
Como su nombre sugiere, esta variedad con raíces violetas poco convencionales luce un centro anaranjado cuando se las corta en rodajas. Cruda, tiene un sabor particularmente apetecible.

Siembra: desde comienzos de la primavera hasta comienzos del verano
Cosecha: desde comienzos del verano hasta finales del otoño

Zanahoria *Bangor* F1
Los tubérculos alargados y robustos se producen en grandes cantidades, especialmente en suelos húmedos. Los cultivos pueden cosecharse desde finales del verano y durante todo el otoño. Además, se conservan bien.

Siembra: desde mediados de la primavera hasta principios del verano
Cosecha: desde mediados del verano hasta finales del otoño

Zanahoria *Carson* F1
Se obtienen buenas cosechas de esta variedad mediana y puntiaguda durante el otoño y el invierno. Cruda, resulta deliciosa, por su color rojizo, sabor dulce y crujiente textura.

Siembra: desde mediados de la primavera hasta mediados del verano
Cosecha: desde finales del verano hasta comienzos del invierno

Remolacha *Boltardy*
Muy buena variedad que produce los tradicionales tubérculos redondos de color rojo y sabor dulzón. Ideales para sembrar bajo campanas a comienzos de la primavera por su excelente resistencia a la floración prematura.

Siembra: desde comienzos de la primavera hasta mediados del verano
Cosecha: desde comienzos del verano hasta mediados del otoño

Remolacha *Chioggia Pink*
Curiosidad: la cáscara rojiza de este tubérculo esférico oculta anillos concéntricos rosados y blancos en la pulpa. Su riquísimo sabor dulce se aprecia tanto cuando se consume cruda o hervida.

Siembra: desde mediados de la primavera hasta mediados del verano
Cosecha: desde comienzos del verano hasta mediados del otoño

Remolacha *Forono*
Sus tubérculos alargados y de color morado son ideales para consumir en rodajas. Siembre sucesivamente para obtener una continua cosecha. Si siembra demasiado temprano, es probable que broten prematuramente.

Siembra: desde mediados de la primavera hasta principios del verano
Cosecha: desde mediados del verano hasta finales del otoño

Remolacha *Pablo* F1
Es una de las mejores variedades para macetas, ideal para consumir en tamaño pequeño. Los tubérculos suaves y rojizos son increíblemente dulces. Además, no realizan floración prematura ni sacan brotes.

Siembra: desde mediados de la primavera hasta principios del verano
Coseche: desde mediados del verano hasta mediados del otoño

Chirivía *Gladiator* F1
Esta popular chirivía madura rápido y produce cosechas de tubérculos de piel blanca de muy buena calidad en forma continua. Además, esta variedad tiene buena resistencia al cancro.

Siembra: desde finales del invierno hasta mediados de la primavera
Cosecha: desde mediados del otoño hasta comienzos de la primavera

Chirivía *Tender and True*
En suelo húmedo, esta variedad desarrolla raíces larguísimas. Tiene uno de los mejores sabores. Además, es resistente al cancro y es la favorita en las exposiciones hortícolas.

Siembra: desde finales del invierno hasta mediados de la primavera
Cosecha: desde finales del otoño hasta principios de la primavera

Tubérculos: nabos, nabos suecos, rabanitos

Nabo *Snowball*
Si quiere obtener una pronta cosecha, esta variedad de maduración rápida es ideal. Recomendamos cosechar mientras sean pequeños. Así podrá disfrutar de su firme y crujiente textura cruda o cocida.

Siembra: desde comienzos de la primavera hasta mediados del verano
Cosecha: desde finales de la primavera

Nabo *Purple Top Milan*
Son ideales para sembrar debajo de campanas. Esta hortaliza se desarrolla bien y madura rápidamente. Las raíces planas sobresalen de la tierra con un color violeta intenso y son completamente blancas en la parte inferior. Además de atractivas, son deliciosas.

Siembra: desde comienzos de la primavera hasta mediados del verano
Cosecha: desde mediados de la primavera

Nabo sueco *Brora*
Esta hermosa variedad es violeta en la parte superior y blanca en la base. Además, es muy suave y nada amarga. Es mejor cosecharla a comienzos del invierno para evitar que saque brotes.

Siembra: desde finales de la primavera hasta mediados del verano
Cosecha: desde mediados del otoño hasta mediados del invierno

Rabanito *French Breakfast*
Variedad con forma de torpedo de cáscara roja y punta blanca. Por su forma, es ideal para consumir en rodajas. Su carne crujiente tiene sabor suave con el característico toque picante. Es fácil y rápido de cultivar.

Siembra: desde comienzos de la primavera hasta comienzos del verano
Cosecha: desde finales de la primavera hasta mediados del otoño

Rabanito *Cherry Belle*
Es una de las mejores hortalizas para el principiante: estos rabanitos rojos pequeños y brillantes toleran suelos de mala calidad. Crecen rápidamente, tardan en sacar brotes y son sabrosos.

Siembra: desde comienzos de la primavera hasta comienzos del verano
Cosecha: desde finales de la primavera hasta mediados del otoño

Rabanito chino *Mantanghong* F1
Intente cultivar estos rabanitos de sabor exótico. La cáscara verde claro oculta una carne de color magenta con una capa blanca externa. Tiene un marcado sabor avellanado y un dejo picante.

Siembra: desde comienzos hasta mediados del verano
Cosecha: desde finales del verano hasta comienzos del invierno

Crucíferas: repollos

Repollo *Pixie*
Es uno de los repollos de maduración rápida. Coséchelo antes si quiere obtener hojas tiernas; de lo contrario, déjelo madurar. Buen cultivo que puede cosecharse a tiempo para que el suelo quede despejado para la siembra de primavera.

Siembra: desde mediados del verano
Cosecha: desde mediados del invierno hasta finales de la primavera

Repollo *Derby Day*
Tradicional repollo redondo de color verde pálido. Se cosecha a comienzos del verano. No florece prematuramente, lo que agrada a muchos horticultores. Además, los repollos maduros toleran hasta el calor del verano.

Siembra: desde finales del invierno hasta comienzos de la primavera
Cosecha: desde comienzos hasta finales del verano

Repollo *Hispi* F1
Es otro de los predilectos. Esta variedad produce repollos sabrosos y compactos con hojas verde oscuro. Los repollos maduran rápidamente. La siembra sucesiva brinda cosechas continuas desde finales de la primavera hasta el otoño.

Siembra: desde finales del invierno hasta finales del verano
Cosecha: desde finales de la primavera hasta finales del otoño

Repollo *Marner Early Red* (sin. *Marner Fruerot*)
Este repollo color rojo de muchas hojas es uno de los primeros en madurar. Las hojas externas tienen líneas grises; el corazón es rojo y con un sabor picante que se aprecia mejor crudo.

Siembra: desde mediados del invierno hasta comienzos de la primavera
Cosecha: desde mediados hasta finales del verano

Repollo *Minicole* F1
Es ideal para jardines pequeños. Produce redondos y pequeños repollos blancos en plantas compactas. Plántelos muy juntos para obtener una cosecha abundante en otoño. Puede dejarlos en las plantas hasta tres meses.

Siembra: desde comienzos hasta finales de la primavera
Cosecha: desde comienzos del otoño hasta comienzos del invierno

Repollo *Red Jewel* F1
Por sus hojas color granate con líneas plateadas, este repollo es uno de los mejores para plantaciones decorativas. Además de hermosas, las hojas son deliciosas. Podrá dejarlas en la tierra o conservarlas durante mucho tiempo.

Siembra: desde comienzos de la primavera hasta comienzos del verano
Cosecha: desde mediados del verano hasta comienzos del otoño

Crucíferas: brócoli, brócoli calabrés, coliflor, repollo

Repollo *January King 3*
Este repollo tradicional de invierno resiste las heladas. Sus hojas son crujientes y dulzonas. Además, sus irregulares hojas rosadas lucen preciosas en el jardín de invierno.

Siembra: desde mediados de la primavera hasta principios del verano
Cosecha: desde finales del otoño a finales del invierno

Repollo *Tundra* F1
Es una mezcla de repollo savoy con repollo blanco que produce ejemplares compactos con hojas sabrosas y crujientes. Por su cosecha continua, es ideal para la huerta.

Siembra: desde comienzos de la primavera hasta comienzos del verano
Cosecha: desde mediados del otoño hasta principios de la primavera

Repollo *Savoy Siberia* F1
Resiste inviernos crudos, por lo que resulta ideal para jardines expuestos o fríos. Las hojas verde azulado son dulces, y los repollos resisten sin problemas un largo período en la tierra.

Siembra: desde comienzos de la primavera hasta comienzos del verano
Cosecha: desde principios del otoño hasta mediados del invierno

Brócoli calabrés *Corvet* F1
Es una variedad de otoño, que produce plantas robustas y abundantesflores verdes. Corte las flores principales cuando aún estén cerradas para que, unas semanas más tarde, crezca otra tanda de pequeños brotes.

Siembra: desde mediados hasta finales de la primavera
Cosecha: desde finales del verano hasta comienzos del otoño

Brócoli *Bordeaux*
Esta variedad de flores violetas es muy útil para quienes no deseen esperar hasta la primavera. No es una planta de invierno y no requiere la habitual exposición al frío para producir sus sabrosas flores.

Siembra: desde finales del invierno hasta mediados de la primavera
Cosecha: desde mediados del verano hasta mediados del otoño

Brócoli *White Star*
Las flores de esta variedad semejan las de la coliflor: son de un color blanco cremoso, y el sabor es similar. Además, es una elección popular por su abundante producción durante períodos prolongados.

Siembra: desde mediados hasta finales de la primavera
Cosecha: desde comienzos hasta mediados de la primavera

Brócoli *Claret* F1
Planta vigorosa que necesita cañas que la sostengan en jardines ventosos. Esta variedad produce muchísimas flores suculentas en la primavera. Las flores violetas son compactas, uniformes y deliciosas.

Siembra: desde mediados hasta finales de la primavera
Cosecha: desde comienzos hasta mediados de la primavera

Brócoli *Late Purple Sprouting*
Para extender la cosecha de brócoli hasta finales de la primavera, pruebe esta variedad de floración tardía. Demora en dar semillas, y las deliciosas flores violetas se cosechan durante períodos prolongados.

Siembra: desde mediados hasta finales de la primavera
Cosecha: desde comienzos hasta finales de la primavera

Coliflor *Walcheran Winter Armado April*
Es una variedad para inviernos crudos que resiste fuertes heladas y produce grandes flores blancas. Ocupa mucho lugar todo el año, por lo que no es recomendable para jardines muy pequeños.

Siembra: desde mediados hasta finales de la primavera
Cosecha: desde comienzos hasta finales de la primavera

Coliflor *Mayflower* F1
Esta variedad resistente de comienzos del verano produce continuas flores blancas y compactas de muy buena calidad. A diferencia de otras, no requiere niveles altos de nitrógeno. Su cosecha es temprana, por lo que no padecen las sequías estivales.

Siembra: desde mediados hasta finales del invierno o mediados del otoño
Cosecha: desde finales de la primavera hasta mediados del verano

Coliflor *Romanesco*
Si quiere probar algo diferente, cultive esta rara variedad de verano/otoño. Produce flores piramidales en un vibrante color verde. Cultívelas durante un largo tiempo para obtener grandes flores o siembre sucesivamente para flores más pequeñas.

Siembra: desde comienzos hasta finales de la primavera
Cosecha: desde finales del verano hasta comienzos del invierno

Coliflor *Violet Queen* F1
Las flores violetas de esta variedad alegrarán la huerta. Adquieren un color verde al cocinarse. Para que crezcan sanas y fuertes, requieren de mucho nitrógeno y agua.

Siembra: desde finales de la primavera hasta comienzos del verano
Cosecha: desde finales del verano hasta comienzos del otoño

Crucíferas: colirrábanos, repollitos de Bruselas, repollos crespos

Repollitos de Bruselas *Red Delicious*
Esta maravillosa variedad es de color violeta moteada de rojo desde la base del tallo hasta las hojas superiores. A diferencia de otras variedades, los repollitos mantienen el color luego de la cocción y tienen un delicado sabor.

Siembra: desde comienzos hasta mediados de la primavera
Cosecha: a comienos del invierno

Repollitos de Bruselas *Trafalgar* F1
Si quiere obtener repollitos tiernos para Navidad, esta variedad no lo decepcionará. Los repollitos firmes y del mismo tamaño crecen en plantas altas y macizas. Se cosechan durante todo el invierno.

Siembra: desde comienzos hasta mediados de la primavera
Cosecha: desde finales del otoño hasta mediados del invierno

Repollitos de Bruselas *Bosworth* F1
Esta variedad híbrida produce repollitos dulces verde oscuro. Resiste todo el invierno.

Siembra: desde comienzos hasta mediados de la primavera
Cosecha: desde finales del otoño hasta comienzos del invierno

Repollo crespo *Redbor* F1
Los repollos crespos se cosechan en invierno. Las hojas de esta variedad son parecidas a las hojas rizadas del perejil y brindan un hermoso color Borgoña a los días invernales. Consúmalas al vapor o salteadas.

Siembra: desde comienzos hasta finales de la primavera
Cosecha: desde comienzos del otoño hasta comienzos de la primavera

Repollo crespo *Starbor* F1
Esta variedad es más compacta que la mayoría de los repollos y funciona bien en jardines pequeños o expuestos al viento. Las hojas rizadas resisten el frío invernal. Siembre sucesivamente para cosechar durante todo el año sabrosas hojas mini.

Siembra: desde comienzos de la primavera hasta comienzos del verano
Cosecha: desde comienzos del otoño hasta comienzos de la primavera

Repollo crespo *Nero di Toscana*
También llamados Black Tuscany o Cavolo Nero, es el repollo predilecto en la cocina italiana. Las hojas superiores son casi negras y se abultan como los repollos savoy. Consuma las hojas maduras en sopas y guisos; las jóvenes, en ensaladas.

Siembra: desde comienzos de la primavera hasta comienzos del verano
Cosecha: desde comienzos del otoño hasta comienzos de la primavera

Colirrábano *Olivia* F1
Coseche esta verdura a la altura del suelo, cuando tenga el tamaño de una pelota de tenis. Disfrute de su carne blanca y crujiente cruda o cocida al vapor. Es una variedad cumplidora; no desarrolla tallos ni tiene floración prematura.

Siembra: desde comienzos de la primavera hasta comienzos del verano
Cosecha: desde finales de la primavera hasta mediados del otoño

Colirrábano *Purple Danube* F1
La cáscara y los tallos violetas de esta variedad decoran el jardín. Además, su sabor avellanado es uno de los mejores. Las variedades violetas demoran más en madurar, por lo que estará lista a finales del verano o en otoño.

Siembra: desde mediados de la primavera hasta principios del verano
Cosecha: desde mediados del verano hasta finales del otoño

Pak choi *Joi Choi*
Los salteados que prepare en verano serán más sabrosos con estas hojas suculentas y crujientes. Esta variedad tiene tallos blancos con hojas redondas verde oscuro. Es fácil de cultivar.

Siembra: desde mediados hasta principios de la primavera
Cosecha: dede principios del verano hasta mediados del otoño

Mizuna
A menudo, se las encuentra en los supermercados en bandejitas preparadas. Estas hojas finas e irregulares son de cultivo fácil en el verano. Coseche hojas mini para ensaladas o déjelas madurar y consúmalas salteadas.

Siembra: desde comienzos de la primavera hasta comienzos del otoño
Cosecha: desde finales de la primavera hasta finales del otoño

Mibuna
Su sabor es similar a la mizuna, pero más fuerte, y sus hojas son largas con bordes suaves. Como la mizuna, esta verdura brota una y otra vez. Puede sembrarla sucesivamente desde la primavera hasta el otoño.

Siembra: desde comienzos de la primavera hasta comienzos del otoño
Cosecha: desde finales de la primavera hasta finales del otoño

Mostaza *Red Giant*
Estas hojas color rubí también son hermosas y tienen un sabor fuerte. Coseche las hojas mientras sean pequeñas; de lo contrario, el picor será avasallante. Siémbrelas durante el otoño, porque resisten muy bien el invierno.

Siembra: desde comienzos de la primavera hasta comienzos del otoño
Cosecha: desde finales de la primavera hasta mediados del invierno

Verduras de hoja para ensalada: espinaca, lechuga, rúcula

Lechuga *Sangria*
Esta variedad mantecosa forma un corazón holgado con hojas suaves. Animará cualquier tipo de ensalada. Es fácil de cultivar. De maduración rápida, se desarrolla bien en suelos de mala calidad y resiste al oídio.

Siembra: desde comienzos de la primavera hasta finales del verano
Cosecha: desde finales de la primavera hasta mediados del otoño

Lechuga *Tom Thumb*
Es la predilecta del horticultor: esta variedad compacta y mantecosa desarrolla corazones dulces rápidamente. Es ideal para jardines pequeños, porque puede sembrarla en alta densidad. Se cosecha rápido.

Siembra: desde comienzos de la primavera hasta mediados del verano
Cosecha: desde finales de la primavera hasta comienzos del otoño

Lechuga *Little Gem*
Esta lechuga romana, usual en el supermercado será aun más rica si la cultiva usted mismo. Su pequeñísimo tamaño la convierte en una opción ideal para jardines pequeños.

Siembra: desde comienzos de la primavera hasta mediados del verano
Cosecha: desde finales de la primavera hasta comienzos del otoño

Lechuga *Freckles*
Esta variedad forma ejemplares holgados con hojas verdes, y espectaculares manchas rojas. Las plantas no florecen prematuramente, incluso en climas cálidos.

Siembra: desde comienzos de la primavera hasta finales del verano
Cosecha: desde finales de la primavera hasta mediados del otoño

Lechuga *Delicato*
Esta variedad es la de crecimiento más rápido, tanto por sus hojas que brotan una y otra vez, como para cosecharla una vez madura. Esta variedad de color rojo intenso tiene un agradable sabor.

Siembra: desde comienzos de la primavera hasta mediados del verano
Cosecha: desde mediados de la primavera hasta mediados del otoño

Lechuga *Catalogna*
Lechuga de hojas verdes y sabrosas. No se olvide de sembrar en forma sucesiva durante todo el verano. Las suaves hojas tienen un sabor delicado, y las plantas son de floración lenta.

Siembra: desde comienzos de la primavera hasta mediados del verano
Cosecha: desde mediados de la primavera hasta mediados del otoño

Lechuga *Lollo Rossa-Nika*
Las hojas de esta lechuga decorativa son de un color rojo intenso. Son apetecibles tanto por su sabor como por su aspecto. Las hojas jóvenes son dulces, y, aunque las más maduras sean amargas, lucen fabulosas.

Siembra: desde comienzos de la primavera hasta mediados del verano
Cosecha: desde finales de la primavera hasta mediados del otoño

Lechuga *Challenge*
Esta lechuga es similar a la clase iceberg. Esta variedad produce sólidos corazones de hojas crujientes. Además, crece muy bien si la siembra con campanas antes o después de tiempo. Resisten bien al oídio y a la floración prematura.

Siembra: desde comienzos de la primavera hasta mediados del verano
Cosecha: desde finales de la primavera hasta mediados del otoño

Lechuga *Sioux*
Es una linda variedad iceberg rojiza. El color de las hojas se intensifica con el calor, lo que otorga cualidades ornamentales muy valiosas en jardines pequeños. Por su color y frescura, son ideales para ensaladas.

Siembra: desde comienzos de la primavera hasta mediados del verano
Cosecha: desde principios del verano hasta mediados del otoño

Espinaca *Perpetual Spinach*
No es la espinaca original, sino que son las hojas de la remolacha. Saben como la acelga. Son fáciles de cultivar porque muy rara vez echan semillas, incluso en climas secos. Las abundantes hojas verdes se las puede cosechar durante todo el invierno.

Siembra: desde mediados de la primavera hasta mediados del verano
Cosecha: en cualquier momento

Espinaca *Tetona* F1
Espinaca de alto rendimiento que produce muchísimas hojas redondas verde oscuro. Es la variedad perfecta para sembrar porque brota una y otra vez. Consuma las hojas jóvenes y tiernas o déjelas madurar.

Siembra: desde comienzos de la primavera hasta finales del verano
Cosecha: desde finales de la primavera hasta finales del otoño

Rúcula *Apollo*
Esta variedad produce grandes hojas verdes con un fuerte sabor picante, pero sin dejo amargo. Es fácil de cultivar porque brota una y otra vez en macetas o en la tierra. Riéguela bien en climas cálidos.

Siembra: desde comienzos de la primavera hasta mediados del verano
Cosecha: desde mediados de la primavera hasta mediados del otoño

Verduras de hoja: acelga, achicoria, rúcula

Rúcula *Rocket Wild*
Popular verdura con hojas delgadas y un fuerte sabor picante. Es fácil de cultivar en macetas o canteros, no florece tan prematuramente como otras variedades. Coseche con frecuencia para prolongar la producción.

Siembra: desde comienzos de la primavera hasta comienzos del otoño
Cosecha: desde mediados de la primavera (el invierno bajo techo)

Achicoria *Italiko Rosso*
La radicheta de tallo rojo se desarrolla perfectamente en suelos de mala calidad. Coseche las hojas cuando aún sean pequeñas para agregar un toque amargo a sus ensaladas. También puede comerlas cocidas al vapor.

Siembra: desde finales de la primavera hasta comienzos del otoño
Cosecha: desde mediados del verano hasta finales del otoño

Achicoria *Sugar Loaf*
Cultívelas de la misma manera que las lechugas para obtener muchas hojas amargas o córtelas tiernas para que crezcan una y otra vez. La achicoria crece bien en suelos malos, aunque podrán requerir riego frecuente en épocas de sequía.

Siembra: desde mediados de la primavera hasta finales del verano
Cosecha: desde mediados del verano hasta mediados del otoño

Acelga *Bright Lights*
Los tallos multicolor que varían de blanco a violeta constituyen una vibrante adición a la huerta. Son fáciles de cultivar y reviven a principio de la primavera si recibieron protección durante el invierno.

Siembra: desde mediados de la primavera hasta mediados del verano
Cosecha: desde principios de la primavera hasta mediados del otoño

Acelga *Charlotte*
Es una de las acelgas rojas más atractivas: tiene tallos rojos y hojas verdes. Luce fabulosa en macetas o canteros de flores. Además, sus hojas pequeñas alegran las ensaladas. Necesaria en cualquier jardín.

Siembra: desde mediados de la primavera hasta mediados del verano
Cosecha: en cualquier momento

Acelga *Lucullus*
Esta hermosa acelga produce rápidamente muchas hojas deliciosas con tallos blancos y robustos. Puede consumir las hojas y los tallos hervidos, al vapor o salteados. Su sabor suave es similar a las hojas de remolacha.

Siembra: desde mediados de la primavera hasta mediados del verano
Cosecha: desde principios de la primavera hasta mediados del otoño

Cucúrbitas: calabazas, zapallitos redondos

Zapallito *Zucchini*
Buena variedad que forma una planta frondosa, apta para cultivar en macetas. Estos zapallitos de piel verde oscuro y sabrosa carne clara crecen en grandes cantidades durante el verano.

Siembra: desde mediados de la primavera hasta principios del verano
Cosecha: desde mediados del verano hasta principios del otoño
◊ ♦ ☼

Zapallito redondo *Defender* F1
Es una variedad temprana muy productiva. Esta planta resiste el virus del mosaico del pepino, que causa la muerte en muchas otras variedades.

Siembra: desde mediados de la primavera hasta principios del verano
Cosecha: desde mediados del verano hasta mediados del otoño
◊ ♦ ☼ 🏆

Zapallito *Burpee's Golden*
Esta prolífica variedad de zapallito produce exquisitos frutos ornamentales de color amarillo brillante. Los zapallitos son muy sabrosos, especialmente si los cosecha pequeños.

Siembra: desde mediados de la primavera hasta principios del verano
Cosecha: desde mediados del verano hasta principios del otoño

Zapallito *Tromboncino*
Cultive esta vigorosa variedad italiana contra una soleada pared para que todos aprecien sus largos frutos. Los frutos verde claro pueden alcanzar los 30 cm de longitud.

Siembra: desde mediados de la primavera hasta principios del verano
Cosecha: desde mediados del verano hasta principios del otoño
♦ ◊ ☼

Zapallito redondo *Venus* F1
Estas plantas muy compactas son ideales para macetas o jardines pequeños. Producen muchísimos zapallitos deliciosos. En óptimas condiciones, podrá cosechar los frutos sesenta días después plantar.

Siembra: desde mediados de la primavera hasta principios del verano
Cosecha: desde comienzos del verano hasta mediados del otoño
♦ ◊ ☼ 🏆

Calabaza *Long Green Bush*
A pesar de su nombre, esta variedad forma una planta compacta y frondosa, por lo que es adecuada para jardines pequeños. Los frutos verde oscuro con rayas crecen rápido, pero también puede cosecharlos aún pequeños.

Siembra: desde mediados de la primavera hasta principios del verano
Cosecha: desde mediados del verano hasta mediados del otoño
♦ ◊ ☼

Cucúrbitas: zapallos, pepinos

Zapallo *Sunburst* F1
Variedad amarilla Patty Pan que produce frutos en color manteca con forma de platillo volador. Esta variedad fácil de cultivar produce gran cantidad de suculentos frutos si los cosecha con frecuencia.

Siembra: desde mediados de la primavera hasta principios del verano
Cosecha: desde mediados del verano hasta mediados del otoño

Zapallo *Uchiki Kuri*
Conocida también como Red Kuri, esta variedad produce frutos medianos de color anaranjado con una exquisita carne dorada. Se desarrolla muy bien en climas templados. Una vez curados, los frutos se conservan bien.

Siembra: desde mediados hasta finales de la primavera
Cosecha: desde finales del verano hasta mediados del otoño

Zapallo *Pilgrim Butternut* F1
Variedad menos vigorosa y mucho más resistente para jardines pequeños. El hábito arbustivo de esta planta trepadora no impide que produzca zapallos de piel clara y carne anaranjada. Se conservan bien.

Siembra: desde mediados hasta finales de la primavera
Cosecha: desde finales del verano hasta mediados del otoño

Zapallo *Crown Prince* F1
Este zapallo rastrero es uno de los predilectos por su excepcional carne deliciosa. La robusta piel gris de los frutos contrasta con la carne anaranjada y luce muy atractiva en la planta trepadora.

Siembra: desde mediados hasta finales de la primavera
Cosecha: desde finales del verano hasta mediados del otoño

Zapallo *Turk's Turban*
Su carne es amarillenta y tiene un dejo de sabor a nabo. No es muy requerido en la cocina, pero se lo cultiva por sus cualidades decorativas. La piel anaranjada se arruga y forma protuberancias verdes y color crema.

Siembra: desde mediados hasta finales de la primavera
Cosecha: desde finales del verano hasta mediados del otoño

Zapallo *Festival* F1
Esta planta trepadora decorativa y deliciosa produce muchísimos zapallos pequeños con rayas anaranjadas y carne dulce y untuosa. Estos zapallos son ideales para rellenar o asar. Se conservan bien.

Siembra: desde mediados hasta finales de la primavera
Cosecha: desde finales del verano hasta mediados del otoño

Pepino *Bush Champion* F1
Cultive este pepino Ridge en el exterior: sus plantas compactas son ideales para jardines pequeños y macetas. Además, resisten el virus del mosaico del pepino. Los dulces frutos nudosos de color verde oscuro alcanzan los 10 cm de longitud.

Siembra: desde mediados de la primavera hasta principios del verano
Cosecha: desde finales del verano hasta mediados del otoño

Pepino *Marketmore*
Variedad excelente de pepino: produce muchísimos frutos nada amargos de color verde oscuro, de hasta 20 cm de longitud. Esta variedad funciona muy bien sobre una estructura o enrejado. Además, es resistente al virus del mosaico del pepino.

Siembra: desde mediados de la primavera hasta principios del verano
Cosecha: desde finales del verano hasta mediados del otoño

Pepino *Masterpiece*
Este pepino Ridge con fresca carne blanca y jugosa, y piel verde oscuro es una buena opción para el huerto exterior. Crece sin problemas, aunque se desarrolla mejor si puede treparse.

Siembra: desde mediados de la primavera hasta principios del verano
Cosecha: desde finales del verano hasta mediados del otoño

Pepino *Zeina* F1
Variedad hembra que puede cultivarse en invernadero o al exterior. Pepinos pequeños y suculentos de piel suave. Pueden cosecharse durante mucho tiempo; además, su tamaño es ideal para consumirlos en una sola comida.

Siembra: desde comienzos de la primavera hasta comienzos del verano
Cosecha: desde mediados del verano hasta mediados del otoño

Pepino *Petita* F1
Esta es la variedad ideal para obtener muchísimos pepinos jugosos en el invernadero. Es fácil de cultivar, incluso en condiciones difíciles. Las flores son hembra, por lo que no hay frutos amargos.

Siembra: desde comienzos de la primavera hasta comienzos del verano
Cosecha: desde mediados del verano hasta mediados del otoño

Pepino *Carmen* F1
Esta variedad hembra es una muy buena opción para el cultivo en invernadero: resistente a las esporas y a las manchas en sus hojas. Producirá muchísimos frutos verdes y suaves con facilidad.

Siembra: desde comienzos de la primavera hasta comienzos del verano
Cosecha: desde mediados del verano hasta mediados del otoño

Familia de las liliáceas: cebollas, cebollas de verdeo, chalotes

Cebolla *Ailsa Craig*
Esta variedad, la predilecta desde hace tiempo, produce muchísimas cebollas grandes de piel suave y amarronada. Es mejor cultivar las semillas en primavera para obtener una buena cosecha de otoño. Si las seca, se conservan bien.

Siembra: desde finales del invierno hasta comienzos de la primavera
Cosecha: desde finales del verano hasta principios del otoño

Cebolla *Sturon*
Tradicionalmente, esta variedad se siembra en macetas y produce grandes bulbos amarronados. Su piel resistente es ideal para conservarlas durante el invierno. De vez en cuando, podrá obtener semillas.

Siembra: desde finales del invierno hasta comienzos de la primavera
Cosecha: desde finales del verano hasta principios del otoño

Cebolla *Red Baron*
Disponible tanto en semillas como en macetas, esta variedad tiene una maravillosa piel rojiza con rayas rosadas. Se conservará sólo durante un tiempo.

Siembra: desde finales del invierno hasta mediados de la primavera
Cosecha: desde comienzos hasta mediados del otoño

Cebolla *Senshyu*
Plante en otoño grupos de esta útil variedad japonesa de invierno y siembre semillas un poco antes para obtener una cosecha temprana de verano. Los bulbos amarillo claro alcanzan un buen tamaño y tienen un fuerte sabor.

Siembra: a finales del verano
Cosecha: desde comienzos hasta mediados del verano

Cebolla *Shakespeare*
Pruebe esta variedad inglesa de invierno para obtener cebollas redondas de cáscara amarronada a principios del verano. Se conservan bien por su densa carne blanca y cáscara resistente. Son riquísimas.

Siembra: desde comienzos hasta mediados del otoño
Cosecha: desde comienzos hasta mediados del verano

Chalote *Longor*
Esta variedad de chalote tiene cáscara y capas interiores rosadas. Los bulbos de sabor fuerte se conservan bien durante el otoño y el invierno si se los seca con cuidado.

Siembra:: desde finales del invierno hasta mediados de la primavera
Cosecha: desde mediados hasta finales del verano

Chalote *Red Sun*
Tiene una maravillosa piel Borgoña y carne blanca con capas divididas por anillos rosados. Consúmalos crudos picados en ensaladas o para cocinar y preparar encurtidos.

Siembra: desde comienzos hasta mediados de la primavera
Cosecha: desde mediados hasta finales del verano

Chalote *Golden Gourmet*
Esta variedad produce muchísimos frutos grandes con cáscara amarilla en macetas. Se conservan con facilidad durante el invierno. Es menos propensa a la floración prematura en climas secos.

Siembra: desde finales del invierno hasta mediados de la primavera
Cosecha: desde mediados hasta finales del verano

Cebolla de verdeo *Paris Silverskin*
Cebolla blanca pequeña que puede cosecharse antes de tiempo para ensaladas o dejar madurar para hacer encurtidos. Es ideal para jardines pequeños porque es compacta y fácil de cultivar.

Siembra: desde comienzos hasta mediados de la primavera
Cosecha: desde mediados hasta finales del verano

Cebolla de verdeo *Guardsman*
Es una buena opción para sembrar en forma sucesiva desde la primavera hasta el otoño, porque resiste las bajas temperaturas y se cosecha en primavera.

Siembra: desde principios de la primavera hasta mediados del otoño
Cosecha: desde finales de la primavera hasta mediados del otoño; desde finales del invierno hasta comienzos de la primavera

Cebolla de verdeo *North Holland Blood Red*
Variedad atractiva con base roja y sabor suave. Coseche algunos brotes jóvenes y consúmalos como cebollas de verdeo. A su vez, les dará espacio a las plantas para que produzcan cebollas de cáscara roja.

Siembra: desde comienzos de la primavera hasta comienzos del verano
Cosecha: desde finales de la primavera hasta finales del verano

Cebolla de verdeo *White Lisbon*
Esta variedad, predilecta desde hace tiempo, produce bulbos blancos con tallos verde brillante de sabor fuerte. Es fácil de cultivar, pero tenga las filas espaciadas porque es propensa al moho.

Siembra: desde comienzos de la primavera hasta mediados del verano
Cosecha: desde finales de la primavera hasta comienzos del otoño

Familia de las liliáceas: ajos, puerros

Puerro *Musselburgh*
Puerro muy resistente y robusto. Su blanco tallo ancho termina en espectaculares hojas verdes. Esta vieja variedad resiste los inviernos más crudos. Se la cosecha desde finales del otoño hasta finales del invierno.

Siembra: desde comienzos hasta mediados de la primavera
Cosecha: desde finales del otoño hasta finales del invierno

Puerro *Hannibal*
Este elegante puerro tiene hojas verde oscuro y un tallo largo y blanco. La cosecha puede realizarse en otoño y a principio del invierno. Además, produce espectaculares mini puerros si los planta apretados.

Siembra: desde comienzos hasta mediados de la primavera
Cosecha: desde comienzos del otoño hasta comienzos del invierno

Puerro *Swiss Giant, Zermatt*
Elegante variedad con tallo largo y delgado. A pesar de su nombre, desarrolla excelentes mini puerros si los planta apretados. A finales del verano, estarán listos para cosechar. Es un beneficio para quienes tienen poco espacio en el jardín.

Siembra: desde comienzos hasta mediados de la primavera
Cosecha: desde mediados del verano hasta finales del otoño

Ajo *Solent Light*
Uno de los mejores ajos para climas frescos. La mejor época de plantación es otoño, pero también funciona en primavera. Madura a finales del verano. Se conserva muy bien, ya que es una variedad sin floración.

Siembra: desde mediados del otoño hasta principios de la primavera
Cosecha: desde mediados del verano hasta principios del otoño

Ajo *Early Light*
Es mejor consumir fresca esta variedad de cuello duro y cáscara violeta, aunque sólo se conserva durante tres meses. Esta cosecha será muy esperada, ya que es una de las primeras variedades en desarrollarse en climas frescos.

Siembra: desde mediados del otoño hasta mediados del invierno
Cosecha: desde finales de la primavera hasta comienzos del verano

Ajo *Elephant Garlic*
Muy similar al puerro, esta variedad produce bulbos de hasta 10 cm de diámetro. Consuma frescos los jugosos dientes para disfrutar de su sabor suave y dulce. Asados son deliciosos.

Siembra: desde mediados del otoño hasta mediados del invierno.
Cosecha: desde mediados del verano hasta principios del otoño

Legumbres: arvejas

Arvejas *Feltham First*
Esta variedad enana de arvejas es muy productiva y útil para jardines pequeños. Conseguirá mejores resultados si la siembra en otoño, en macetas, ya que las plantas estarán más protegidas.

Siembra: desde mediados hasta finales del otoño; desde mediados hasta principios de la primavera
Cosecha: desde finales de la primavera hasta mediados del verano

Arvejas *Twinkle*
Excelente variedad de cosecha temprana. Las primeras siembras tienen mejores resultados si las protege con campanas. Las plantas enanas producen gran cantidad de vainas; las arvejas no suelen marchitarse y resisten el moho.

Siembra: desde finales del invierno hasta mediados de la primavera
Cosecha: desde finales de la primavera hasta mediados del verano

Arvejas *Hurst Greenshaft*
Estas plantas desarrollan gran cantidad de vainas largas. De esta forma, la cosecha de esta variedad tradicional es relativamente fácil. Las arvejas son grandes y dulces, y las plantas resisten muy bien a las enfermedades.

Siembra: desde comienzos de la primavera hasta comienzos del verano
Cosecha: desde finales de la primavera hasta comienzos del otoño

Arvejas *Rondo*
Una de las arvejas más sabrosas. Esta variedad tiene vainas dobles de color verde oscuro, que alcanzan los 10 cm de longitud. Las plantas necesitan soporte, pero la suculenta cosecha vale la pena el esfuerzo.

Siembra: desde comienzos de la primavera hasta comienzos del verano
Cosecha: desde finales de la primavera hasta comienzos del otoño

Arvejas *Sugar Snap*
Variedad versátil de arvejas dulces. Puede cosecharlas jóvenes y comerlas enteras, crudas o salteadas, o ya maduras y comer las arvejas frescas. Las plantas crecen hasta 1,8 m de altura, por lo que necesitan el soporte de enrejados o cañas.

Siembra: desde comienzos de la primavera hasta comienzos del verano
Cosecha: desde finales de la primavera hasta finales del verano

Arvejas *Oregon Sugar Pod*
Variedad excelente que produce vainas anchas y planas para consumir enteras, crudas, al vapor o salteadas. Obtendrá gran cantidad de estas chauchas dulces y crujientes de las plantas, que pueden crecer hasta 90 cm.

Siembra: desde comienzos de la primavera hasta comienzos del verano
Cosecha: desde finales de la primavera hasta finales del verano

Legumbres: chauchas

Chaucha *Butler*
Esta chaucha atractiva de flores rojas crece con fuerza y forma muchas vainas alargadas sin hilos llenas de lindas arvejas violetas. Podrá cosecharlas durante mucho tiempo y, por no tener hilos, son igualmente sabrosas aunque sean grandes.

Siembra: desde mediados de la primavera hasta principios del verano
Cosecha: desde mediados del verano hasta mediados del otoño

Chaucha *Liberty*
Predilecta de los horticultores exhibidores, esta planta produce hermosas flores color escarlata antes de las larguísimas (hasta 45 cm) vainas. Las grandes cosechas de chauchas de piel suave son muy valoradas por su abundante carne sabrosa.

Siembra: desde mediados de la primavera hasta principios del verano
Cosecha: desde mediados del verano hasta mediados del otoño

Chaucha *White Lady*
Se cree que las flores blancas de esta planta son menos atractivas para los pájaros. El clima cálido puede atacar las vainas, pero esta variedad resiste, por lo que resulta útil para siembras tardías.

Siembra: desde mediados de la primavera hasta principios del verano
Cosecha: desde mediados del verano hasta mediados del otoño

Chaucha *Wisley Magic*
Chaucha con flores rojo brillante que producen vainas delgadas de hasta 35 cm. Las plantas crecen rápido y producen buena cantidad de vainas, pero éstas tienen hilos, por lo que se recomienda cosecharlas de pequeñas.

Siembra: desde mediados de la primavera hasta principios del verano
Cosecha: desde mediados del verano hasta mediados del otoño

Chaucha *Purple Queen*
Esta variedad enana compacta es ideal para macetas o canteros. Crece sin necesidad de soportes y desarrolla gran cantidad de suculentas vainas violetas. Estas vainas tienen un sabor delicioso y toman color verde al cocinarse.

Siembra: desde mediados de la primavera hasta mediados del verano
Cosecha: desde principios del verano hasta finales del otoño

Chaucha *Delinel*
Planta enana que produce muchísimas vainas. En macetas o canteros, desarrolla gran cantidad de alargadas vainas verdes con textura firme y muy buen sabor. Las plantas resisten al virus común del mosaico de la chaucha y a la antracnosis.

Siembra: desde mediados de la primavera hasta mediados del verano
Cosecha: desde comienzos del verano hasta finales del otoño

Chaucha *The Prince*
Esta variedad enana tiene vainas alargadas y verdes. La mejor época para cosecharlas es aún pequeñas, cuando todavía no tienen hilos. El sabor es excelente. Las cosechas pueden realizarse a principios del verano.

Siembra: desde mediados de la primavera hasta mediados del verano
Cosecha: desde comienzos del verano hasta finales del otoño

Chaucha *Ferrari*
Es una linda variedad enana: produce sabrosas chauchas delgadas y suculentas sin hilos. Las plantas funcionan bien si las siembra en macetas a mediados de la primavera con protección contra las heladas.

Siembra: desde mediados de la primavera hasta mediados del verano
Cosecha: desde comienzos del verano hasta finales del otoño

Chaucha *Cobra*
Coloque estructuras de cañas o enrejados para obtener grandes cosechas de chauchas tiernas de hasta 20 cm de longitud. Las flores son de un violeta poco común, por lo que las plantas son ornamentales además de productivas.

Siembra: desde mediados de la primavera hasta mediados del verano
Cosecha: desde comienzos del verano hasta finales del otoño

Poroto Borlotti *Lingua di Fuoco*
Cultivado de la misma manera que la chaucha trepadora, este poroto Borlotti italiano produce largas vainas verdes con rayas rojas. Consúmalas enteras cuando sean pequeñas o retire las semillas violetas de las vainas maduras y déjelas secar.

Siembra: desde mediados de la primavera hasta mediados del verano
Cosecha: desde principios del verano hasta finales del otoño

Habas *Aquadulce Claudia*
Esta haba resistente es predilecta desde hace mucho tiempo. Las plantas crecen hasta 90 cm y producen muchísimas habas blancas dentro de vainas acolchonadas. Los áfidos del poroto negro son una plaga común.

Siembra: desde mediados hasta finales del otoño; desde mediados hasta finales del invierno
Cosecha: desde finales de la primavera hasta comienzos del verano

Habas *The Sutton*
Esta variedad compacta y frondosa tiene sólo 45 cm de altura, por lo que resulta ideal para jardines pequeños y para sembrar debajo de campanas. Produce muchas vainas pequeñas llenas de jugosas habas blancas.

Siembra: desde mediados del invierno hasta comienzos de la primavera
Cosecha: desde comienzos hasta finales del verano

Frutos: tomates

Tomate *Totem* F1
Variedad enana para macetas y canteros grandes. Se desarrolla bien en el exterior: a mediados del verano, logra una estructura fuerte con pequeños y sabrosos frutos rojos.

Siembra: (en el interior) desde mediados del invierno hasta mediados de la primavera; (en el exterior) desde principios hasta mediados de la primavera
Cosecha: desde mediados del verano hasta mediados del otoño

Tomate *Tumbler* F1
Esta variedad es ideal para plantar en el exterior, en macetas colgantes. Sus atractivos tallos caen en cascadas desde las macetas.

Siembra: (en en interior) desde mediados del invierno hasta mediados de la primavera; (en el exterior) desde principios hasta mediados de la primavera
Cosecha: desde mediados del verano hasta mediados del otoño

Tomate *Early Bush Cherry*
Esta variedad arbustiva se desarrolla en macetas, en el exterior o en el invernadero. Los frutos pequeños y redondos son dulces y abundantes.

Siembra: (en en interior) desde mediados del invierno hasta mediados de la primavera; (en el exterior) desde principios hasta mediados de la primavera
Cosecha: desde mediados del verano hasta mediados del otoño

Tomate *Sungold* F1
Esta variedad debe su reputación a las grandes cantidades de tomates cherry anaranjados de increíble sabor. Es una planta trepadora que necesita cañas.

Siembra: (en en interior) desde mediados del invierno hasta mediados de la primavera; (en el exterior) desde principios hasta mediados de la primavera
Cosecha: desde mediados del verano hasta mediados del otoño

Tomate *Sweet Olive* F1
Pruebe esta variedad trepadora en el exterior para obtener tomates plum. Los frutos rojo escarlata tienen un excelente sabor intenso. La cáscara es resistente. Las plantas necesitan un buen soporte.

Siembra: desde comienzos hasta mediados de la primavera
Cosecha: desde mediados del verano hasta mediados del otoño

Tomate *Shirley* F1
Esta buena variedad de invernadero produce muchísimos frutos redondos de color escarlata, incluso en climas adversos. Esta variedad trepadora, que requiere soporte y poda, resiste bien a las enfermedades.

Siembra: desde mediados del invierno hasta comienzos de la primavera
Cosecha: desde comienzos del verano hasta comienzos del otoño

Tomate *Tigerella* F1
Los inusuales frutos rojos con franjas amarillas son atractivos, deliciosos y maduran fácilmente. Es una planta trepadora que se desarrolla bien adentro y afuera.

Siembra: (en el interior) desde mediados del invierno hasta mediados de la primavera; (en el exterior) desde principios hasta mediados de la primavera
Cosecha: desde mediados del verano hasta mediados del otoño

Tomate *Gardener's Delight*
Es ideal para sitios protegidos en el exterior o en invernaderos. Popular por su gran cantidad de tomates cherry de exquisito sabor.

Siembra: (en el interior) desde mediados del invierno hasta mediados de la primavera; (en el exterior) desde principios hasta mediados de la primavera
Cosecha: desde mediados del verano hasta mediados del otoño

Tomate *Ferline* F1
Es un excelente tomate trepador que produce grandes frutos rojos. Las plantas se desarrollan bien adentro o afuera.

Siembra: (en el interior) desde mediados del invierno hasta mediados de la primavera; (en el exterior) desde principios hasta mediados de la primavera
Cosecha: desde mediados del verano hasta mediados del otoño

Tomate *Supersweet 100* F1
Si quiere lograr una excelente cosecha de frutos dulzones de color rojo intenso, pruebe esta variedad que crece muy bien en invernaderos. Resiste bien al hongo verticillium. Es fácil de cultivar y produce una magnífica cosecha.

Siembra: desde mediados del invierno hasta mediados de la primavera
Cosecha: desde mediados del verano hasta mediados del otoño

Tomate *Super Marmande*
Esta variedad es frondosa, pero necesita soporte. Los grandes frutos explotan de sabor. Es la variedad predilecta en Francia. Las plantas crecen con fuerza en el exterior, en áreas cálidas.

Siembra: desde mediados del invierno hasta mediados de la primavera
Cosecha: desde mediados del verano hasta mediados del otoño

Tomate *Summer Sweet* F1
Este tomate produce muchísimos frutos rojos pequeños durante un período prolongado. Es ideal para un lugar soleado en el exterior o en el invernadero. Las plantas resisten el fosarium y garantizan una buena cosecha.

Siembra: desde mediados del invierno hasta mediados de la primavera
Cosecha: desde mediados del verano hasta mediados del otoño

Frutos: berenjenas, choclos, pimientos

Berenjena *Moneymaker* F1
Es una de los mejores plantas de berenjenas para climas fríos. Las plantas, lucen bien en macetas. Aunque los mejores frutos crezcan en invernadero, las plantas crecen bien bien en lugares soleados, en el exterior.

Siembra: desde comienzos hasta mediados de la primavera
Cosecha: desde mediados del verano hasta comienzos del otoño

Berenjena *Black Beauty*
Variedad prolífica que produce suculentos frutos ovalados de color violeta oscuro. Las mejores cosechas se obtienen bajo protección, en un invernadero. Sujete las plantas a guías para que sostengan el peso de los frutos.

Siembra: desde comienzos hasta mediados de la primavera
Cosecha: desde mediados del verano hasta comienzos del otoño

Berenjena *Mohican*
Esta planta compacta y frondosa de frutos blancos es una bellísima opción para una maceta en un patio soleado o en invernadero. Coseche los frutos aún pequeños para aumentar la producción.

Siembra: desde comienzos hasta mediados de la primavera
Cosecha: desde mediados del verano hasta principios del otoño

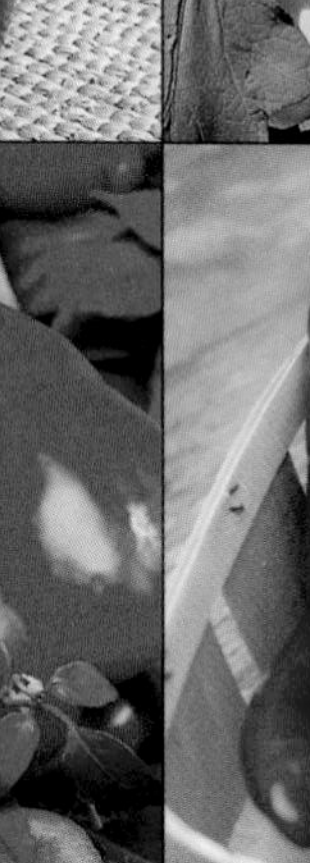

Pimiento *Gypsy* F1
Este pimiento dulce produce muchos frutos. Crece muy bien en el invernadero. Los frutos maduros son rojos, amarillos y verdes, y muy suculentos. Las plantas resisten el virus del mosaico del tabaco.

Siembra: desde comienzos hasta mediados de la primavera
Cosecha: desde mediados del verano hasta mediados del otoño

Pimiento *Marconi Rosso*
Los frutos alargados de este pimiento saben mejor cuando se tornan rojos, porque es cuando están más dulces. Son ideales para cocinar a la parrilla.

Siembra: desde comienzos hasta mediados de la primavera
Cosecha: desde mediados del verano hasta mediados del otoño

Pimiento *Corno di Torro Rosso*
Pimientos largos y deliciosos que adquieren un sabor dulce una vez que se tornan color violeta y rojo. El calor del invernadero le viene muy bien a esta variedad, pero también crece en el exterior, en áreas cálidas.

Siembra: desde comienzos hasta mediados de la primavera
Cosecha: desde mediados del verano hasta mediados del otoño

Pimiento *Hungarian Hot Wax*
Es un ají atractivo y compacto con frutos alargados. Son dulces y amarillos al principio, pero picantes y rojos una vez maduros. Las mejores cosechas se obtienen con la protección de un invernadero o campanas grandes.

Siembra: desde comienzos hasta mediados de la primavera
Cosecha: desde mediados del verano hasta mediados del otoño

Pimiento *Prairie Fire*
Estos ajíes pequeños son muy picantes. Su forma puntiaguda los hace muy decorativos en plantas frondosas, que no sobrepasan los 20 cm de altura. Son ideales para canteros o contra un pared soleada. Las plantas dan muchos frutos.

Siembra: desde comienzos hasta mediados de la primavera
Cosecha: desde mediados del verano hasta mediados del otoño

Pimiento *Friar's Hat*
Estas plantas altas, que se desarrollan mejor en el invernadero, producen gran cantidad de ajíes de formas curiosas. Las plantas necesitan soporte, mientras que los frutos crecen mejor en un clima caluroso que estimule el sabor picante.

Siembra: desde comienzos hasta mediados de la primavera
Cosecha: desde mediados del verano hasta mediados del otoño

Choclo *Butterscotch* F1
Variedad muy dulce de mitad de temporada, que forma mazorcas de hasta 20 cm de longitud llenas de granos tiernos y sabrosos. Crece con fuerza y se desarrolla muy bien, incluso en climas fríos.

Siembra: desde mediados hasta finales de la primavera
Cosecha: desde finales del verano hasta principios del otoño

Choclo *Indian Summer*
Estas espectaculares mazorcas coloridas tienen granos dulces color amarillo, crema, rojo y violeta. Separe las plantas de otras variedades de choclo para evitar la polinización cruzada y mantener los colores.

Siembra: desde mediados hasta finales de la primavera
Cosecha: desde finales del verano hasta mediados del otoño

Choclo *Lark* F1
Esta variedad produce muchos plantines sanos con cada siembra. Es ideal para quienes se inician en el cultivo de una huerta. Las mazorcas tiernas y dulces son exquisitas hervidas y con un poco de manteca.

Siembra: desde mediados hasta finales de la primavera
Cosecha: desde finales del verano hasta mediados del otoño

Verduras perennes/de tallo: alcaucil, apio, apio nabo, espárragos

Espárrago *Connover's Colossal*
Variedad tradicional que produce abundantes espárragos desde inicios de la temporada. Compre plantas jóvenes y trate de no cosecharlas durante el primer año. Corte algunos espárragos durante el segundo año y coseche los frutos en el tercero.

Siembra: desde finales del invierno hasta comienzos de la primavera
Cosecha: desde finales de la primavera

Topinambur *Fuseau*
Esta planta de la familia del girasol produce tubérculos suaves y largos. Su sabor es similar al de los alcauciles, que se comen cocidos.

Siembra: desde finales del invierno hasta finales de la primavera
Cosecha: desde comienzos hasta finales del invierno

Alcaucil *Green Globe*
Es una verdura difícil de conseguir en tiendas, pero fácil de cultivar. Esta variedad produce grandes flores con corazones tiernos y deliciosos.

Siembra: desde finales del invierno hasta comienzos de la primavera
Siembra en terrazas: desde finales de la primavera hasta comienzos del verano **Cosecha:** desde finales de la primavera hasta principios del verano

Apio nabo *Monarch*
Esta variedad es más fácil de cultivar que el apio. Es exquisito crudo, cocido al vapor o asado. Es fácil de limpiar y su carne es cremosa y de excelente textura.

Siembra: desde comienzos hasta mediados de la primavera
Cosecha: desde mediados hasta finales del otoño

Apio *Victoria* F1
Las ramas de color verde saben muy bien y son crocantes. No es necesario cubrir los tallos con tierra para blanquearlos. Las plantas demoran en florecer.

Siembra: desde finales del invierno hasta mediados de la primavera
Cosecha: desde finales del verano hasta mediados del otoño

Apio *Celebrity* F1
Es una excelente variedad que crece bien tanto en el exterior como en invernadero. Los tallos verdes tienen un sabor delicioso, y las plantas resisten la floración prematura muy bien.

Siembra: desde finales del invierno hasta mediados de la primavera.
Cosecha: desde finales del verano hasta mediados del otoño

Hierbas

Perejil ***Plain Leaved 2***
Exquisito perejil francés con hojas tiernas de fuerte sabor. Esta variedad anual es fácil de cultivar en el interior o exterior, aunque el perejil es bianual y lo suficientemente resistente para la mayoría de los jardines.

Siembra: desde comienzos de la primavera hasta finales del verano
Cosecha: todo el año

Perejil ***Envy***
Esta variedad elegante y fuerte produce muchísimas hojas rizadas de color verde intenso. Las semillas del perejil pueden tardan en germinar. Asegúrese de regar mucho la tierra luego después de sembrar.

Siembra: desde comienzos de la primavera hasta finales del verano
Cosecha: todo el año

Albahaca ***Sweet Genovase***
Esta albahaca de hojas grandes e intenso aroma se usa para preparar platos italianos. Las plantas crecen en lugares soleados. También se desarrollan muy bien en canteros o en invernadero. Corte hojas tiernas con frecuencia.

Siembra: desde comienzos de la primavera hasta mediados del verano
Cosecha: todo el año

Albahaca ***Magic Mountain***
Esta hierba de follaje violeta brillante y flores color lila se destaca por su belleza. Las hojas tienen un delicado sabor anisado, ideal para la cocina tailandesa.

Siembra: desde comienzos de la primavera hasta mediados del verano
Cosecha: todo el año

Tomillo ***Silver Posie***
Las pequeñas hojas grises de esta planta compacta tienen un aroma intenso. Son el complemento ideal del pollo y el pescado. Esta resistente planta perenne produce muchas flores rosadas durante el verano.

Siembra: desde comienzos hasta finales de la primavera
Cosecha: todo el año

Tomillo ***Doone Valley***
Por su follaje variegado de color amarillo brillante, combinado con flores violetas de verano, constituye una hermosa planta para una maceta o para una huerta de hierbas aromáticas. Las hojas con dejo a limón saben muy bien con pescados o en guisos.

Siembra: desde comienzos hasta finales de la primavera
Cosecha: todo el año

Hierbas y brotes de semillas

Orégano (*Origanum vulgare*)
Hierba mediterránea utilizada en la cocina italiana. Prospera en suelos con buen drenaje. Sus hojas verde amarillentas y su crecimiento lento la convierten en una planta de jardín muy recomendable.

Siembra: desde comienzos hasta finales de la primavera
Cosecha: todo el año

Romero (*Rosmarinus officinalis*)
Este arbusto produce las resistentes hojas aromáticas que combina tan bien con el cordero. Como hierba perenne, el romero es ideal para el jardín de hierbas o la huerta. Puede podarlo para que no pierda su forma.

Siembra: desde comienzos hasta finales de la primavera
Cosecha: todo el año

Hinojo (*Foeniculum vulgare*)
Elegante y liviano, el hinojo es verde y bronce, y puede alcanzar hasta 1,8 m de altura. Esta planta luce bien en bordes ornamentales. Sus hojas anisadas, y luego sus semillas, pueden cosecharse.

Siembra: desde comienzos hasta finales de la primavera
Cosecha: desde finales de la primavera hasta comienzos del otoño

Mastranzo (*Mentha suaveolens*)
Esta menta deliciosa es invasiva, por lo que le recomendamos plantarla en macetas. Es perenne y desarrolla nuevos brotes llenos de hojas tiernas mentoladas cada primavera. Son ideales para cocinar con papas.

Siembra: desde comienzos hasta finales de la primavera
Cosecha: desde finales de la primavera hasta finales del verano

Menta verde (*Mentha spicata*)
El sabor nítido de la menta verde es ideal para ensaladas, postres y tragos. Las hojas son brillantes y apetecibles. Contenga el crecimiento de esta planta, porque también es invasiva.

Siembra: desde comienzos hasta finales de la primavera
Cosecha: desde finales de la primavera hasta comienzos del otoño

Cebollines (*Allium schoenoprasum*)
Los macizos de esta planta de crecimiento fácil tienen hojas alargadas con flores violetas, por lo son ideales para los bordes de senderos. El delicado sabor acebollado de esta verdura va muy bien en sopas, ensaladas y tartas.

Siembra: desde comienzos hasta finales de la primavera
Cosecha: en cualquier momento

Cilantro
Planta anual frondosa que se cultiva para cosechar las hojas picantes, pero no las semillas. Siembre sucesivamente cada seis semanas para garantizar el continuo abastecimiento y riéguelas para evitar que echen semillas con rapidez.

Siembra: desde mediados de la primavera hasta principios del otoño
Cosecha: desde comienzos de la primavera hasta comienzos del otoño

Salvia (*Salvia officinalis*)
Este arbusto aromático decorativo tiene diversos usos en la cocina. Sus hojas son verde grisáceo. Estimule el crecimiento cortando los extremos de los brotes. Reemplace las plantas cada cinco años.

Siembra: desde mediados hasta finales de la primavera
Cosecha: en cualquier momento

Lemon grass (*Cymbopogon citratus*)
Esta hierba tropical no puede exponerse a temperaturas inferiores a los 7°C en invierno. Los tallos robustos con sabor a cítrico pueden demorar en crecer en climas fríos; aun así, pueden utilizarse en platos tailandeses.

Siembra: desde mediados hasta finales de la primavera
Cosecha: desde finales de la primavera hasta comienzos del otoño

Alfalfa
Brote nutritivo y crocante con delicado sabor avellanado. La alfalfa es deliciosa en ensaladas y sándwiches. Acelere el proceso de crecimiento de los brotes remojando las semillas durante ocho horas. Los brotes germinarán en 4 ó 5 días.

Siembra: en cualquier momento
Cosecha: en cualquier momento

Porotos mung
Estos diminutos porotos verdes crecen con rapidez para convertirse en los conocidos brotes chinos, por lo que se los incluye a menudo en salteados orientales. Remoje los porotos durante 8 a 12 horas, antes de hacerlos germinar en un frasco durante 2 a 5 días.

Siembra: en cualquier momento
Cosecha: en cualquier momento

Garbanzos
Los brotes de garbanzos son deliciosos aperitivos o un ingrediente adicional de ensaladas. Deberá germinarlos de 2 a 3 días para poder comerlos. Remójelos en agua de 8 a 12 horas antes de hacerlos germinar para garantizar que el tegumento se ablande.

Siembra: en cualquier momento
Cosecha: en cualquier momento

Proveedores

Viveros

All Green Vivero
Ciudad de la Paz 2169
Buenos Aires
4787 3388
allgreen@redjardin.com
www.redjardin.com

El Vergel
Prolongación Av. 9 de Julio S/N°
Lincoln, Pcia. de Bs. As.
(02355) 422066
elvergel@uolsinectis.com.ar

Ferrari
Av. 66 N° 1811
La Plata, Pcia. de Bs. As.
(0221) 4505007
ferrari@netverk.com.ar
www.viveroferrari.com

Hanasono
Camino Gral. Belgrano esq. Barceló
Villa Domínico, Pcia. de Bs. As.
4230 1809
hanasono@speedy.com.ar

Mundo Planta
Somellera 5661
Buenos Aires
4602 0004
info@mundoplanta.com.ar
www.mundoplanta.com.ar

Plantas Faitful
Ruta Panamericana, km 42
Pilar, Pcia. de Bs. As.
(02320) 403400

Osesa
J.A. Cabrera 5359
Buenos Aires
4807 6668
info@osesa.com.ar

RMD
Ruta Panamericana, km 47,5
Pilar, Pcia. de Bs. As.
(02322) 473296
www.laplantacion.net

Vivero Agronomía
Av. Francisco Beiró 2424
Buenos Aires
4523 9646
viveroagronomia@redjardin.com
www.redjardin.com

Vivero Buby
Luis García 1039
Tigre, Pcia. de Bs. As.
4005 0161

Vivero De Luca
Av. De Mayo 1030
Ramos Mejía, Pcia. de Bs. As.
4464 0513

Vivero del Paraíso
El Maestro 148
Buenos Aires
4902 6375
www.viverodelparaiso.com.ar

Vivero El Maitén
Griveo 2585
Buenos Aires
4571 4505
elmaiten@redjardin.com
www.redjardin.com

Vivero Mario
Scalabrini Ortiz 1240
Buenos Aires
4771 6800
vivero_mario@speedy.com.ar

Vivero Rafaela
Av. E. Perón 5099
Buenos Aires
4682 0311
www.viverorafaela.com.ar

Viveros El Pampero
Ruta 9, km 162
San Pedro, Pcia. de Bs. As.
(03329) 424316
viveroginart@redsp.com.ar
www.viveroelpampero.com.ar

Viveros La Facultad
Av. Chorroarín 200
Buenos Aires
4522 1122
vivero@overnet.com.ar

Semillas

Casa Arturo Cardozo SRL
Moreno 2165
Buenos Aires
4951 0381

Costanzi Hnos.
Av. Mitre 2764
Sarandí, Pcia. de Bs. As.
4204 8255

Hogar y Jardín
Paraná 982
Buenos Aires
4813 0240

La Rural
Av. Andrés Rolón 368
San Isidro, Pcia. de Bs. As.
4892-0267
info@semillasrural.com.ar
www.semillasrural.com.ar

South Seed S.A.
Chile 862 P.B. "B"
Buenos Aires
4342 8127

Equipos y sistemas de riego

Acqualine Aguas Limpias
Edison 2712
Martínez, Pcia. de Bs. As.
5234 3888

Agua y Riego SRL
Mozart 1133
Buenos Aires
4613 5117

FG Riego por Aspersión
Bustamante 1580
Lomas de Zamora, Pcia. de Bs. As.
4245 6104

Litti S.A.
Sáenz Valiente 1745
Martínez, Pcia. de Bs. As.
4717 1800
www.jlc.com.ar

Riegos Pigue SRL
San Martín 693
Bahía Blanca, Pcia. de Bs. As.
(0291) 454 7032

Watergate SRL
Av. Alcorta 3365
Buenos Aires
4912 2706

Índice

A

B

C

D

E

F

G

H, J

L

M

Índice

S

T

U, V

Z

Agradecimientos

El editor agradece a quienes tuvieron la amabilidad de autorizar la reproducción de sus fotografías:

(Abreviaturas: a: arriba; i: inferior; c: centro; iz: izquiera; der: derecha; s: superior)

1-2 Airedale: Sarah Cuttle. **4** Mike Newton (c). **5** Airedale: Sarah Cuttle (s). **6-7** Airedale: Sarah Cuttle. **8** Airedale: Sarah Cuttle (s, der); Amanda Jensen: Diseñador: Alan Capper en colaboración con Kent Allan, Kent Design y Ross Allan Designs para Jardín de África, Chelsea Flower Show 2006 (s, iz); Amanda Jensen, Chelsea Flower Show 2006 (i). **9** Mark Bolton: Diseñador: Kate Frey, Fetzer Vineyards/Chelsea Flower Show 2005. **10–11** Mike Newton (s). Airedale: Sarah Cuttle (i). **11** Airedale: David Murphy (s); Amanda Jensen: Diseñador: Paul Stone, Intendente del distrito de Londres, The Sunshine Garden, Hampton Court 2006 (i). **12–13** Imágenes de Jardines del mundo: Matt Keal/Proyecto Edén. **13** Mark Bolton: Nicky Daw, Lower House, Powys (s). Airedale: Amanda Jensen (i). **14** Airedale: Sarah Cuttle (s). Mark Bolton: Goram, Teasdale, Thornbury, Glos. (i). **15** Airedale: Sarah Cuttle: Diseñadores: Darren Rudge y H Wood, City of Wolverhampton College/Gardeners' World Live 2006. **16** Airedale: Sarah Cuttle (s). **16–17** Mark Bolton: Andy Luft, Nailsea, Somerset. **17** Airedale: Sarah Cuttle: Nottingham Trent University/Gardeners' World Live 2006 (s, iz); Diseñadores: Darren Rudge y H Wood, City of Wolverhampton College/Gardeners' World Live 2006 (der). **18** Mark Bolton. **19** RHS *El jardín*: Tim Sandall (s). Airedale: Sarah Cuttle (i, iz); Amanda Jensen (i, der). **22** Airedale: Sarah Cuttle (iz). Imagénes de DK: Peter Anderson (der). **23** Airedale: David Murphy (iz); Amanda Jensen: Diseñador: Paul Stone, Intendente del distrito de Londres, The Sunshine Garden, Hampton Court 2006 (der). **28** Imágenes de DK: Peter Anderson. **29** Airedale: Sarah Cuttle (s, iz) (i, iz) (i, der). Imagénes de DK: Peter Anderson (s, der). **30** Airedale: David Murphy. **31** Airedale: Amanda Jensen (s). **32** Airedale: Sarah Cuttle (i, der). Imagénes de DK: Peter Anderson (s) (i, iz). **33** Imágenes de DK: Peter Anderson (s, iz; c, iz; c, der; i, iz; i, der). **34** Imágenes de DK: Peter Anderson. **35** Imágenes de DK: Peter Anderson (s, iz; i). **36** Airedale: David Murphy. **37** Airedale: Sarah Cuttle (i, iz). **38** Airedale: Sarah Cuttle. **39** Imágenes de DK: Peter Anderson (s) (i, iz). Airedale: Sarah Cuttle (i, der). **42** Airedale: Sarah Cuttle. **43** Airedale: Sarah Cuttle (s, iz). Thompson & Morgan (i, der). **44** Airedale: Suttons Seeds (i, der). Thompson & Morgan (i, iz). **46** Airedale: Sarah Cuttle. **47** Airedale: Sarah Cuttle (s, der; i, der). Chase Organics Ltd (i, iz). **49** Airedale: David Murphy (s, iz); Sarah Cuttle (i, der; i, der). Imagénes de DK: Peter Anderson (s, der). **50** Airedale: Sarah Cuttle. **51** Airedale: Sarah Cuttle (s, iz; i, der). **52** Airedale: Sarah Cuttle. **53** Airedale: Sarah Cuttle (i, der). Chase Organics Ltd. (i, der). **54** Airedale: Sarah Cuttle. **55** Airedale: Sarah Cuttle (i, iz). **58** Airedale: Sarah Cuttle. **60** Airedale: Sarah Cuttle. **64** Airedale: Sarah Cuttle. **66** Airedale: David Murphy. **68** Airedale: Sarah Cuttle. **82** Airedale: Sarah Cuttle. **84** Airedale: David Murphy. **85** Airedale: Sarah Cuttle (s, iz; s, der; i, iz). **86** Airedale: Sarah Cuttle (t; i, der). Imagénes de DK: Peter Anderson (i, iz). **87** Imágenes de DK: Peter Anderson (s). **88-89** Airedale: David Murphy. **90** Airedale: Sarah Cuttle (c, der). Imagénes de DK: Peter Anderson (s, der). Thompson & Morgan (s, iz). **91** RHS *El jardín*: Tim Sandall. **92** Airedale: Sarah Cuttle (s, iz). Suttons Seeds (c, der). DT Brown (i, iz). **93** Airedale: David Murphy. **94** Malcolm Dodds (s, iz). **96** Airedale: Sarah Cuttle (i, der). Imagénes de DK: Peter Anderson (i, iz). Derek St Romaine (s, iz). **97** Derek St Romaine: RHS - Jardín Rosemoor. **98-99** Airedale: Sarah Cuttle. **100** Airedale: Sarah Cuttle (s, iz; i, der). **101** Airedale: Sarah Cuttle. **102** Airedale: Sarah Cuttle (i, der). Thompson & Morgan (c, iz). **103** Imágenes de DK: Steve Wooster. **106** Airedale: Sarah Cuttle. **107** Airedale: David Murphy (s, iz); Sarah Cuttle (c, a). Imagénes de DK: Peter Anderson (c, i). **108** Airedale: Sarah Cuttle (i, iz; i, der). **109** Imágenes de DK: Mark Winwood (s, iz); Peter Anderson (i, iz). **110** Imágenes de DK: Deni Bown (c); Peter Anderson (c,a; s, der; c, der; i, c). Airedale: David Murphy (c, iz). **111** Airedale: Sarah Cuttle (i, c; i, der). Imagénes de DK: Deni Bown (s, der; c; i, iz). Malcolm Dodds (s, iz). **112** Airedale: Sarah Cuttle (i, iz; i, c). Imagénes de DK: Peter Anderson (i, der). **113** Imágenes de DK: Peter Anderson (c; c, der; i, c). Photoshot/NHPA: N A Callow (i, iz). **114** Imágenes de DK: Peter Anderson (s, der; i, der). Airedale: David Murphy (i, iz). **115** Airedale: David Murphy (s, iz). Imagénes de DK: Peter Anderson (c, iz; a, iz). **116** Airedale: Sarah Cuttle. **117** Airedale: David Murphy (s, iz; a, der); Sarah Cuttle (s, der). Imagénes de DK: Peter Anderson (i, iz). **118** Airedale: Sarah Cuttle. **119** Airedale: Sarah Cuttle (i, der). **121** Imágenes de DK: Peter Anderson (der). **122-123** Airedale: David Murphy. **124** Thompson & Morgan (i, iz). **125** Airedale: Sarah Cuttle (s, c; i, der). Thompson & Morgan (s, iz). DT Brown (s, der). **126** Thompson & Morgan (s, der). Fothergills (s, iz; a, iz). **127** Airedale: Sarah Cuttle (s, der). Suttons Seeds (a, der). Thompson & Morgan (i, c). Fothergills (a, iz). **128** Airedale: Sarah Cuttle (i, c). Suttons Seeds (s, iz; s, der). Fothergills (s, c). **129** Airedale: Sarah Cuttle (i, iz). Chase Organics Ltd (s, iz; s, c). Thompson & Morgan (i, c; i, der). Fothergills (s, der). **130** Airedale: Sarah Cuttle (s, der). Thompson & Morgan (s, iz; a, iz). DT Brown (s, c; i, der). Fothergills (i, c). **131** Airedale: Sarah Cuttle (s, c). Suttons Seeds (s, iz). Thompson & Morgan (s, r; i, der). Fothergills (a, iz). **132** Suttons Seeds (i, der). DT Brown (i, c). **133** Chase Organics Ltd. (s, iz). Thompson & Morgan (s, c). DT Brown (s, der). **134** Airedale: Sarah Cuttle (s, iz); David Murphy (i, iz); Mike Newton (s. der). Fothergills (s, c; i, c; i, der). **135** Airedale: Sarah Cuttle (s, iz; s, der; i, iz). Thompson & Morgan (i, c). DT Brown (i, der). Fothergills (s, c). **136** (i, iz). DT Brown (s, der; i, c). **137** Airedale: Sarah Cuttle (s, der; i, c). Marshalls Seeds (s, iz). Thompson & Morgan (s, c). **138** Marshalls Seeds (i, l; i, der). Joy Michaud/ Sea Spring Photos (s, c). W. Robinson & Son Ltd. (i, c). DT Brown (s, iz). Fothergills (s, der). **139** Airedale: Sarah Cuttle (s, der; i, der). Joy Michaud/Sea Spring Photos (s, c). DT Brown (s, iz; i, c). **140** Airedale: Sarah Cuttle (s, c). Thompson & Morgan (i, iz; i, c; i, der). Fothergills (s, iz). **141** Airedale: Sarah Cuttle (s, c). Chase Organics (s, iz). Thompson & Morgan (i, der). DT Brown (s, der; i, iz; i, c). **142** Airedale: Sarah Cuttle (s, c; t, der; i, iz). Joy Michaud/Sea Spring Photos (s, iz). **143** Airedale: Sarah Cuttle (s, c). Marshalls Seeds (s, der). DT Brown (i, c). Fothergills (s, iz; i, iz; i, der). **144** Suttons Seeds (iz, c). Thompson & Morgan (s, der). Fothergills (s, iz). **145** Marshalls Seeds (i, c; i, der). Thompson & Morgan (s, iz; s, der). **146** DT Brown (i, der). **147** Airedale: Sarah Cuttle (s, der; i, c). Chase Organics (i, iz). DT Brown (s, iz; s, c). **148** Airedale: Sarah Cuttle (s, iz; i, iz). Thompson & Morgan (s, der). DT Brown (s, c). Fothergills (i, c). **149** Airedale: Sarah Cuttle (i, der). Thompson & Morgan (i, iz). Fothergills (s, iz; s, c; i, c). **150** Airedale: Sarah Cuttle (s, iz; s, der). DT Brown (s, c). **151** DT Brown (s, iz). **152** Airedale: Sarah Cuttle (s, iz; i, iz; i, c). DT Brown (i, der). **153** Airedale: Sarah Cuttle (s, c).

El editor ha hecho todo lo posible para ubicar a aquellas personas que tienen derechos sobre las fotografías. En caso de omisiones no intencionales, rogamos a los fotógrafos que se comuniquen con nosotros para agregar los agradecimientos que correspondan en futuras ediciones de este libro.

El editor agradece a: *Asistentes Editoriales*: Fiona Wild, Mandy Lebentz; *Índice*: Michèle Clarke

Airedale Publishing agradece a: DT Brown; Bryants Nurseries; Chase Organics; Mr Fothergill's; Marshalls/Unwins; Northern Polytunnels; Strulch; Suttons Seeds; Thompson & Morgan.